ARCHIVES

dirigée par Françoise Perrot

Dans cette collection :

ARCHIVES DU DAUPHINÉ

Abbé Louis Fillet, *Essai historique sur le Vercors, 1888.*
Lord Monson, *Voyage en Dauphiné en 1838,* lithographies de Louis Haghe.
René Reymond, *La route Napoléon, de l'île d'Elbe aux Tuileries, 1815.*
Pierre Bolle, *Le protestant dauphinois
et la république des synodes à la veille de la révocation.*

ARCHIVES DU LYONNAIS

Daniel Bideau, *Les Lieux disparus de Lyon.*
Henri Hours et Olivier Zeller, *Lyon, l'argent, le commerce et la soie.*

ARCHIVES DU VIVARAIS

Michel Riou, *Architecture ancienne et urbanisme en Ardèche.*

ARCHIVES DE SAVOIE

Anne-Marie Vurpas, *Moqueries savoyardes,
monologues polémiques et comiques en dialecte savoyard de la fin du XVIe siècle.*

A paraître :

ARCHIVES DE GASCOGNE

James Dauphiné, *Du Bartas, poète encyclopédiste.*

THIBAUT
DE CHAMPAGNE

Ouvrage publié avec le concours du
CENTRE NATIONAL DES LETTRES

© **LA MANUFACTURE, 1987**, 13, rue de la Bombarde, 69005 LYON.
*Tous droits de reproduction, de traduction et d'adaptation réservés
pour tous les pays.*

THIBAUT DE CHAMPAGNE

Prince et poète au XIIIe siècle

Sous là direction de
Yvonne Bellenger et Danielle Quéruel

ARCHIVES DE CHAMPAGNE

La Manufacture

Cet ouvrage, réalisé sous la direction d'Yvonne Bellenger et Danielle Quéruel, présente les actes du colloque organisé par le Centre de recherche sur la littérature du Moyen Age et de la Renaissance de l'Université de Reims, en janvier 1986.

Autres publications du Centre de recherche :

— *Le Temps et la durée dans la littérature au Moyen Age et à la Renaissance*, actes du colloque de novembre 1984, Paris, Nizet, 1986.

— ''La littérature du Moyen Age et de la Renaissance et la Champagne-Ardenne'', n°5 de la revue *Etudes champenoises*, 1986 (diffusion Nizet).

A paraître :

— *Le Sonnet à la Renaissance*.

Sommaire

Avant-propos,
Yvonne Bellenger et Danielle Quéruel 11

Préambule, *Michel Bur* 25

Thibaut IV, comte de Champagne, victime de l'amour
courtois, *Claude Taittinger* 29

Présentation des chansons de Thibaut de Champagne dans les
manuscrits de Paris, *Emmanuèle Baumgartner* 35

Les chansons de Thibaut de Champagne : l'écriture et le livre,
Marie-Noëlle Toury 45

Le chant du roi, le roi du chant. L'invention mélodique
chez Thibaut de Champagne, *Hans-Herbert Räkel* 57

Le dieu d'Amour, figure poétique du trouble et du désir dans
les poésies de Thibaut de Champagne, *Philippe Ménard* 65

Thibaut de Champagne, de l'obsession du mal à la mort
du chant, *Françoise Ferrand* 77

Jeux partis de Thibaut de Champagne : poétique d'un genre
mineur, *Michèle Gally* 89

L'« esloignance » dans le jeu d'amour. Thibaut de
Champagne, autour de la chanson IX, *Pierre-Marie Joris* ... 99

Thibaut de Champagne et Gace Brulé. Variations sur un
même idéal, *Marie-Geneviève Grossel* 107

Etienne Pasquier, lecteur de Thibaut de Champagne,
Colette Demaizière 119

Annexes :

Carte des fiefs tenus de la couronne et du domaine royal
vers 1251 131

Généalogie des Thibaudiens 132

Chronologie 135

Thibaut de Champagne et Blanche de Castille 138

Deux poèmes de Thibaut de Champagne 140

Glossaire 148

Index des noms de personnes 150

Abréviations

C.C.M. : *Cahiers de civilisation médiévale.*
C.F.M.A. : *Classiques français du Moyen Age.*
R.H.L.F. : *Revue d'histoire littéraire de la France.*
S.A.T.F. : *Société des anciens textes français.*
S.T.F.M. : *Société des textes français modernes.*
T.L.F. : *Textes littéraires français.*

« Fit... les plus belles chansons et les plus délectables et mélodieuses qui onques fussent ouïes en chanson et en vielle... et sont appelées les ''Chansons au Roi de Navarre''. »

Grandes Chroniques de France
(XIIIᵉ siècle).

Avant-propos

Il était sans doute nécessaire que le premier colloque entièrement consacré à Thibaut de Champagne fût organisé dans une des capitales champenoises, à Reims, siège de l'université de Champagne-Ardenne. Il a eu lieu le 16 janvier 1986.

La province est riche de belles figures historiques et de grands poètes. Thibaut est l'un et l'autre, homme politique, guerrier, croisé même, voyageur, musicien, poète. Claude Taittinger, qui fut l'initiateur, l'hôte et l'un des conférenciers de ce colloque, nous a appris que Thibaut avait rapporté des croisades la rose de Provins et le cep ''chardonnay'' sans lequel le vin de champagne n'existerait pas. Il en faudrait moins pour que le comte de Champagne eût droit à notre éternelle reconnaissance. Pourtant il fit plus.

Non seulement il joua un rôle politique important en face du roi Louis VIII et de Blanche de Castille, mais il fut, du consentement unanime de ses contemporains, l'un des meilleurs poètes lyriques de son siècle. La diversité de son œuvre poétique et musicale fut évoquée tout au long du colloque de Reims : des chansons religieuses adressées à la Vierge aux pièces politiques et satiriques, des chants d'amour aux pastourelles, le poète sut maîtriser tous les registres, passant de la ferveur à l'ironie, du raffinement courtois à la rêverie amoureuse. Petit-fils de Marie de Champagne, continuateur de Gace Brulé, c'est en s'inspirant de la tradition courtoise qu'il composa ses plus belles pièces où l'invention mélodique met en valeur les figures du désir et de la blessure amoureuse : se peignant sous les traits de l'amant, le poète se pliait aux règles de la *fin'amor*. Musicien accompli, non pas par surcroît, mais tout naturellement puisqu'il était poète en un temps où la poésie était lyrique au sens strict, c'est-à-dire toujours accompagnée de musique ou pour mieux dire toujours chantée, Thibaut fut « le premier des trouvères à avoir consciemment manié les ressources de son art dans un but artistique et idéologique à la fois » et à avoir ainsi « exercé sur la tradition du chant courtois une emprise artistique qui a fait de lui, au sens figuré du terme, un roi du chant » (H.-H. Räkel).

Cette manifestation a pu être organisée grâce à l'aide de l'université de Reims, de la faculté des lettres de cette université, de la région de Champagne-Ardenne, de la mairie de Reims, de la Direction de la coopération et des relations internationales du ministère de l'Education nationale, du Centre national de la recherche scientifique, que nous remercions très sincèrement. Nous associons à ces remerciements M. Jacques Monfrin, directeur de l'Ecole nationale des Chartes, qui a non seulement accepté de faire partie de notre comité de patronage mais qui a bien voulu nous faire l'honneur d'assister à notre colloque et d'y participer activement, ainsi que notre ami Claude Taittinger, sans qui cette journée *Thibaut de Champagne* n'aurait sans doute pas eu lieu et, en tout cas, n'aurait pas été ce qu'elle fut.

Yvonne Bellenger et Danielle Quéruel

Sceau de Blanche de Castille, vers 1228 (Paris, Archives nationales).

Portrait de saint Louis dans la Vie de saint Louis *ajoutée, au XIV*e *siècle,*
aux Grandes Chroniques de France *rédigées à l'abbaye de Saint-Denis vers 1275*
(Paris, bibliothèque Sainte-Geneviève, ms. 782, fol. 327 r°.

Joinville, Vie de saint Louis, *représentation de la prise de Damiette (1250),*
(Paris, Bibliothèque nationale, milieu du XIVᵉ siècle).

Ci-dessus et page ci-contre :
Diptyque en ivoire. La Fin'Amor : échanges amoureux. Chants d'amour
(Paris, musée de Cluny).

Roman de la rose : *le dieu Amour décoche une flèche à l'amant*
(Paris, Bibliothèque nationale).

Roman de la rose : *l'amant s'approche de la rose*
(Londres, British Museum, fin du XVe siècle).

Chansonnier (Paris, Bibliothèque nationale, Fr 846, XIIIᵉ siècle).

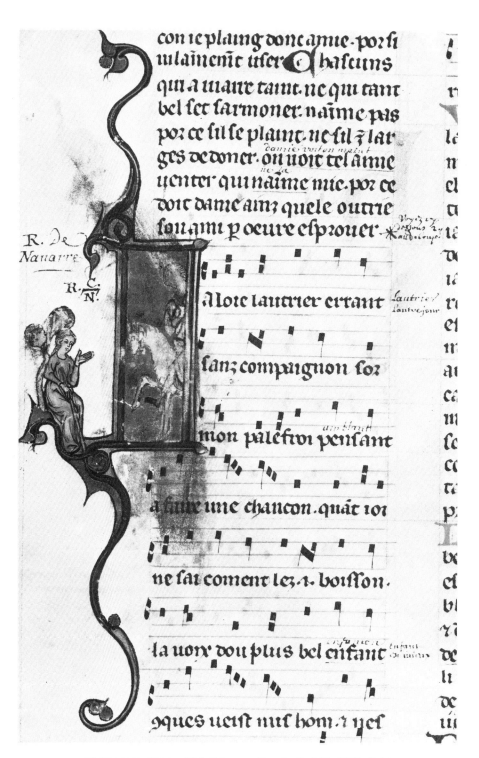

Chansonnier (Paris, Bibliothèque nationale, Fr 846, XIIIe siècle).

Chansonnier (Paris, Bibliothèque nationale, Fr 846, XIIIᵉ siècle).

333 · 7609

D

Comment Amours qui a ouÿ natur
vient a Guillaume de machaut et li
ame une trois de ses enfans cest asçauoir
dou penser plaisance et esperance pour
li dire mater afaire ce que nature
h a chargie et li dit par ceste maniere

Je luy amours qui maint euer estandi
et fai mener douce et ioieuse vie
Si ai ouy Guillaume ie te di
Que nature qui tout fait par maistrie
T a dit qua part ta voulu faire
Pour faire de nouueaux de mon affaire
Pour ce tamene icy en pourueance
Pour toy donner mater ace quisfaire
Mes trois enfans en tour contenance
Cest douls penser plaisance et esperance

Guillaume de Machaut, Œuvres (Paris, Bibliothèque nationale, fr 1954, vers 1360).

Préambule

C'est un privilège que d'ouvrir cette journée d'étude consacrée à un poète que Dante considérait comme l'un des plus grands de son temps, le comte de Champagne, roi de Navarre, Thibaut IV le Chansonnier. Comme le Centre de recherche sur la littérature du Moyen Age et de la Renaissance, qui en a pris l'initiative, se caractérise par une large ouverture pluridisciplinaire, qu'il soit permis à un historien de la société d'emprunter tantôt à sa propre discipline et tantôt à l'art ou à la poésie la matière de sa réflexion.

D'abord pour évoquer le souvenir du premier éditeur des œuvres de Thibaut IV, Lévêque de La Ravalière, auteur d'une histoire des comtes de Champagne qui ne fut jamais publiée mais qui remplit toujours cinq gros volumes manuscrits de la collection de Champagne à la Bibliothèque nationale (t. 132-136). L'édition, qu'en 1742 il procura, des poésies du roi de Navarre mérite à plus d'un égard l'attention[1]. En premier lieu à cause du glossaire du vocabulaire ancien et des airs chantés qui montre une véritable curiosité pour la langue et son évolution.

Ensuite parce que le livre est illustré de motifs dont l'inspiration ''troubadour'' témoigne d'une vision nouvelle du Moyen Age. F. Pupil a décrit récemment la vignette d'entête qui, dans un cadre rococo, représente le comte en tenue de chevalier, prêt à courir un tournoi. D'autres gravures s'inspirent de statues de musiciens ornant le portail de Notre-Dame de Paris ou de Saint-Jean-des-Ménétriers. Cette décoration révèle un goût nouveau pour l'art médiéval et pour une civilisation élégante et raffinée, marquée d'une touche sentimentale qui l'apparente aux fêtes galantes de Watteau[2].

Enfin pour la question que, dès 1737, posait Lévêque de La Ravalière et qui s'inscrit au cœur de la problématique courtoise. Les poésies de Thibaut ont-elles eu pour inspira-

1. *Lévêque de La Ravalière,* Examen critique des historiens qui ont prétendu que les chansons de Thibaut, roi de Navarre, s'adressaient à la reine Blanche de Castille, *1737.* Poésies du roi de Navarre, *1742.*
2. *F. Pupil,* Le Style troubadour ou la nostalgie du bon vieux temps, *Nancy, 1985, pp. 55 et 81.*

trice la reine Blanche de Castille ? On sait que Thibaut a soutenu le gouvernement de Blanche et qu'il fut sensible au charme d'une cousine qui était sa reine, sa dame au sens féodal du terme, et qui avait treize ans de plus que lui[3].

Il n'y a pas lieu de détailler ici les exigences de l'amour courtois : obéissance absolue à la dame, exaltation cérébrale et frustration charnelle, amour plus chanté que vécu, service proche de l'asservissement. Dans quelle mesure cette *fin'amor*, cette bonne et vraie amour a-t-elle servi l'art du poète et dans quelle autre a-t-elle paralysé l'homme politique et le chef de principauté ? C. Taittinger souhaite qu'autour de cette question s'instaure un large débat.

L'univers de la courtoisie renvoie naturellement au milieu intellectuel de la cour de Champagne, tel qu'il s'est formé au temps de la grand-mère de Thibaut, la comtesse Marie, fille de Louis VII et d'Aliénor d'Aquitaine. Que n'a-t-on prêté à cette comtesse protectrice de Gace Brulé, Gautier d'Arras, Chrétien de Troyes et commanditaire du *Chevalier à la charrette* ? Le manuscrit français 794 de la Bibliothèque nationale conserve son délicat portrait dans l'initiale de ce roman.

J. Benton, qui a étudié ce milieu de cour, s'interroge sur les goûts littéraires de Marie et de son époux, le comte Henri le Libéral[4]. Ce prince paraît avoir reçu une éducation traditionnelle et y être demeuré attaché toute sa vie. Sa bibliothèque, patiemment reconstituée par P. Stirnemann, ne dénote aucune curiosité pour les œuvres en langue vernaculaire ni aucun penchant pour l'invention courtoise[5]. Plus âgé que sa femme de dix-huit ans, il collectionnait les livres d'histoire, Valère Maxime, Quince-Curce, les traités de morale, les commentaires bibliques, Macrobe, saint Augustin. Il savait le latin. Ce n'est vraisemblablement pas de ce grand-père généreux mais dépourvu de fantaisie que Thibaut tirait son génie poétique.

Est-ce de sa grand-mère « avant-gardiste », morte en 1198 et qu'il n'a pas connue ? Il appartient aux spécialistes français et étrangers (en particulier ceux de l'"International Courtly Literature Society" qui se sont occupés de la Champagne à Liverpool en 1980[6]) de le dire. La personnalité de la comtesse, régente pour ses deux fils durant treize années, est difficile à cerner et les documents teintés de malveillance, d'où l'accusation de « druerie » ou d'amour chevaleresque n'est pas absente[7], compliquent encore l'appréciation.

3. Voir la généalogie, pp. 132 à 134.
4. J. Benton, "The court of Champagne as a literary center", Speculum, XXXVI, oct. 1961, pp. 551-590.
5. P. Stirnemann, "Quelques bibliothèques princières et la production hors scriptorium au XIIe siècle", Bulletin archéologique du C.T.H.S., Nlle série 17-18, année 1981-1982, fasc. A, Paris, 1984, pp. 7-37.
6. Court and Poet, selected proceedings of the third Congress of the I.C.L.S., ed. by G.S. Burgess, Liverpool, 1981.
7. Chronicon andrensis monasterii, M.G.M., SS. XXIV, p. 715.

La figure de la mère de Thibaut se dégage avec plus de netteté. Cette Espagnole énergique, d'abord attirée par le cloître, veuve après son mariage, régente pendant vingt ans, sut au milieu des pires difficultés préserver l'héritage de son fils né posthume.

Blanche de Navarre semble n'avoir jamais aimé que son mari. Du moins le proclame-t-elle hautement sur le tombeau qu'elle lui fit élever dans les années 1208-1215 à Saint-Etienne de Troyes, en témoignage de « l'amour brûlant » qui l'unissait au défunt[8]. Son veuvage, elle le consacra à son fils et, quand prit fin sa régence, elle se retira pour y mourir à l'abbaye d'Argensoles qu'elle avait fondée. Son beau gisant, au visage martelé, a été déposé au musée de Châlons.

Or Blanche, dame proche de beaucoup et pourtant interdite à tous, fut plus que sa belle-mère chantée par les poètes. On sait depuis longtemps que Gaucebert de Puycibot, un protégé de Savary de Mauléon, ému par la beauté de la jeune fille traversant l'Aquitaine pour s'aller marier à Chartres en 1199, la loua en ces termes :

« Champagne, bien vous prend que vous ayez une dame sans pareille, incontestablement quant à la beauté et au sens ; de quoi vous grandissez car elle fait aimer partout l'Espagne et vous, à cause de sa haute valeur parfaite[9]. »

Récemment J. Schneider a montré que c'est à Blanche et non à Marie que s'adressaient les vers que Rigaut de Barbezieux composa pour célébrer une comtesse vivant en Champagne :

« A noble preuse, comtesse de Jeunesse, puisque vous avez illuminé toute la Champagne, je voudrais que vous connaissiez l'amour et l'amitié que je vous porte, puisque je quitte mon âme et mon corps indolent[10]. »

8. H. d'Arbois de Jubainville, Histoire des ducs et comtes de Champagne, t. IV, 1re partie, 1864, p. 95.
9. W.P. Shepard, Les Poésies de Jausbert de Puycibot, troubadour du XIIIe siècle, (Les classiques français du Moyen Age), Paris, 1924, p. 25 (VII, 61-67).
10. J. Schneider, "Troubadours de Saintonge", Université francophone d'été Saintonge-Québec, Annales (1980). Saint-Jean d'Angely, 1982, pp. 19-28 (strophe traduite par R. Lejeune).

Blanche de Castille, Blanche de Navarre, Blanche d'Artois aussi, qui avant la réunion à la couronne fut la dernière comtesse de Champagne, que de veuves, que de régentes et que de Blanche dans l'histoire de cette province ! Avec les siècles leur image s'est progressivement estompée au point de se confondre avec la blancheur de la craie. Aussi, lorsque aujourd'hui un poète chante les paysages qui lui sont familiers, fait-il surgir, par un curieux transfert, la silhouette des comtesses d'antan :

« ... La craie est notre pierre
très noble. Je la vois, dans sa blanche lumière
comtesse de Champagne au temps des blancs couvents,
au temps des blanches tours et des moulins vivants...
....

La craie est élégante, avenante, joyeuse.
La craie est savoureuse, amoureuse, soyeuse.
En carrière elle est fraîche ; elle est saine au soleil.
...

La craie est pour les champs ; elle est seigneuriale
si, pure au fond d'un parc, sur les grands escaliers,
sourit la dame blanche entre les peupliers[11]... »

Comment s'étonner dans ces conditions qu'il y ait tant de châteaux de la reine Blanche en Champagne et que l'« amour de loin » trouve encore à s'y exprimer !

C'est par l'évocation de ce folklore récent et sous le signe de cette dame aux trois amours : conjugal, chevaleresque et courtois, identifiés par la magie du temps à celui du sol natal, que je déclare ouverte cette journée d'étude consacrée à la poésie de Thibaut IV le Chansonnier.

Michel Bur

11. Abbé Appert, ''Notre-Dame de l'Epine en Champagne ou le dernier pèlerinage du chancelier Gerson'', cité dans A. Moussy, ''La Craie et l'industrie du blanc dans le département de la Marne'', Mémoires de la Société d'agriculture, commerce, sciences et arts de la Marne, XXII, 1926-1928, p. 371.

Thibaut IV, comte de Champagne, victime de l'amour courtois

Dans les dernières années du XIIe siècle, la cour de Champagne jouit d'un rayonnement spirituel exceptionnel dans la France médiévale, dû sans doute à l'action de mécénat qu'accomplit dans la cité troyenne Marie, fille d'Aliénor d'Aquitaine et veuve d'Henri le Libéral, en faveur des arts et des lettres. Marie de Champagne, qui dirigea le comté dès la mort de son mari en 1181 jusqu'à la majorité de son fils en 1187, passe commande à Chrétien de Troyes d'une œuvre poétique sur les amours de la reine Guenièvre, femme du roi Artus, avec le chevalier Lancelot du Lac. Cette œuvre : *Le Chevalier à la charrette* ne put être achevée par son auteur et fut terminée par Godefroy de Lagny.

Dans ce roman, l'un des premiers écrits en langue française, Chrétien de Troyes pose les règles d'un nouvel art d'aimer qui propose à l'amant comme ambition suprême la conquête d'une femme de condition supérieure à la sienne, au niveau de laquelle il devra se hisser grâce à des exploits hors du commun. Ainsi le chemin de l'amour est-il pour le chevalier un sentier éprouvant où il doit affronter périls et souffrances, mais où il trouve l'occasion de se transcender pour mériter la récompense finale qui l'attend. Notons au passage, dans le cas de Lancelot du Lac, que la conquête de la femme aimée va jusqu'à la possession physique puisque le chevalier, qui a fait la preuve de sa vaillance en délivrant du méchant seigneur Méléagant les sujets captifs du roi Artus, va rejoindre une nuit la reine dans sa chambre, ne quittant la dame de ses pensées qu'à l'aube « tous ses vœux exaucés et après qu'il leur soit arrivé une joie et une merveille telle que jamais encore on n'en entendit ou n'en vit de pareille ».

Comme le note André, qui fut le chapelain de la cour de Champagne, dans son livre *De Amore* : « Deux amants peuvent avoir été unis l'un à l'autre par un pur amour et goûter ensuite à l'amour physique si cela leur plaît. [...] L'essence de leurs sentiments est toujours la même. »

Le but de notre propos n'est pas de démontrer, ce qui a été fait à maintes reprises, que l'œuvre poétique de Thibaut le Chansonnier fut influencée par Chrétien de Troyes et que les chansons du comte sont représentatives d'une école poétique champenoise, de son style, de son inspiration, illustrés également par Aubois de Sézanne, Blondel de Reims, Gace Brulé et tant d'autres.

Nous désirons seulement souligner que les comportements de Thibaut IV dans l'exercice de ses responsabilités sur l'échiquier politique européen en tant que détenteur d'un grand fief, comportements qui parurent à ses contemporains incohérents et quelquefois contradictoires, deviennent plus compréhensibles si l'on tient compte des sentiments amoureux profonds que le comte de Champagne a éprouvés pour Blanche de Castille... et que de cet « amour courtois », qui a enrichi sa vie sentimentale autant qu'il a inspiré sa créativité poétique, Thibaut fut, politiquement, la victime.

Essayons de mieux comprendre, à la lueur de la psychanalyse, d'où est venue cette passion pour la reine de France et comment s'expliquent les manifestations débridées de cet amour. Deux clés nous donnent accès à une meilleure connaissance de notre héros : le complexe d'Œdipe dont il souffrit dans son enfance, et sa tentative d'identification dans son adolescence, marquée par les récits héroïques des chevaliers de la Table Ronde, avec le séduisant Lancelot du Lac.

Fils posthume, séparé de sa mère à l'âge de sept ans, Thibaut est élevé à la cour de France, plus comme un otage que comme le fils d'un des grands feudataires du royaume. L'enfant, prisonnier de la solitude et de la tristesse, reporte sur Blanche de Castille, la seule femme qui s'intéresse à lui, les sentiments amoureux que tout jeune garçon à un moment de son développement affectif, éprouve pour sa mère. Le conflit œdipien oppose l'enfant au parent du même sexe, dans son désir de s'approprier celui du sexe opposé. Blanche joue dans ce mini-drame à trois le rôle de la reine Jocaste, et Thibaut-Œdipe admire et hait à la fois celui qui incarne le roi Laïos, Louis VIII, qu'il tue (au sens moral du terme puisqu'il se contente de l'abandonner), non sur la route de Corinthe, mais au cours du siège d'Avignon en 1226.

Identification au chevalier Lancelot par la suite. Influencé par la littérature courtoise qui fleurit à la cour de Champagne, quelle cible amoureuse peut se proposer dans ses rêves romantiques un jeune adolescent qui va devenir l'un des plus puissants seigneurs de son temps, quelle femme plus haut placée que lui peut susciter son admiration, qui peut mieux que la reine de France mériter les exploits et les sacrifices que le jeune comte est prêt à accomplir pour la dame de ses pensées ?

Ainsi naît chez Thibaut un amour passionné pour la reine que celle-ci se garde d'encourager aussi longtemps que dure son union avec Louis le Lion, avec qui elle forme un couple spirituellement et charnellement uni et à qui elle donne dix enfants. Mais à la mort de son époux, devenue régente et voyant se dresser contre elle la coalition des grands féodaux, Blanche de Castille va jouer habilement de la passion qu'elle inspire à son puissant vassal pour mieux résister à ses adversaires : quelle femme, sûre de son charme, n'en aurait pas fait autant !

Ainsi s'instaure entre le jeune comte qui avec ses vingt-cinq ans est au faîte de sa forme virile, et la reine qui approche la quarantaine, une relation sentimentale que nous qualifierons « d'amour courtois » et qui va jouer à tour de rôle au profit des deux partenaires. Au bénéfice de Blanche, tout d'abord en trois occasions :

— En mars 1227, Thibaut quitte le parti des vassaux révoltés qui ont rassemblé leurs forces à Thouars pour rejoindre le camp de la reine à Tours. Son départ oblige le comte de Bretagne, Pierre Mauclerc, et le comte de La Marche, Hugues de Lusignan, à se soumettre et à venir à Vendôme rendre hommage au jeune roi.

— A Noël 1228, c'est une armée royale affaiblie qui s'apprête à faire face à un débarquement en Normandie des forces anglaises commandées par Richard de Cornouailles. Les barons français ont en effet décidé de n'envoyer que des contingents symboliques de chevaliers, dans le cadre du service de l'ost, espérant qu'une défaite militaire de la reine lui fera perdre la régence. Thibaut vole au secours de Blanche avec trois cents chevaliers recrutés en Champagne. Intimidés par ce renfort, les Anglais renoncent à débarquer.

— En avril 1229, c'est Thibaut qui va mettre fin à la guerre contre les Albigeois où la monarchie s'enlise depuis près de vingt ans. Le comte de Champagne, à la demande de Blanche, intervient comme médiateur auprès de son cousin Raymond VII de Toulouse et réussit à lui imposer un traité par lequel Raymond obtient son pardon, jure de laisser poursuivre les hérétiques et cède l'Albigeois septentrional au roi de France.

Mais la relation affective entre la reine et Thibaut va également jouer en faveur de ce dernier quand le comté de Champagne est envahi en juin 1230 par la coalition des ducs et des comtes, conduite par Philippe Hurepel. Celui-ci feint de voir en Thibaut le meurtrier du défunt souverain qu'il aurait empoisonné par amour de la reine et prétend défendre les droits d'Alix de Chypre sur le comté. C'est la reine Blanche qui sauve son galant chevalier en envoyant à son secours les troupes royales et en obligeant ses adversaires à évacuer le comté.

Ainsi l'amant courtois a-t-il bien servi sa puissante maîtresse (mot à prendre au sens étymologique du terme) et celle-ci, en retour, a su le protéger contre les dangers qui le menaçaient.

Par malheur pour Thibaut qui, par ses attitudes autant que par ses pensées, a laissé percer ses sentiments amoureux et qui ce faisant a transgressé une des règles essentielles du code de l'amour courtois, celle de la discrétion, les relations privilégiées qui existent entre lui et la reine de France, bientôt connues du grand public, vont lui susciter des adversaires irréductibles et changer le cours de son destin. Ces relations provoquent en effet l'irritation des barons du royaume et inquiètent le corps des grands commis qui constituent le noyau influent de la *curia*, conseil non formel des ministres du roi. On commence par mettre en cause l'honneur du comte ; c'est l'affreuse campagne de calomnies lancées par certains conseillers du feu roi Louis VIII, laissant entendre qu'il a pu assassiner son souverain, au moment où il quitte le 28 juillet 1226 le siège d'Avignon après avoir régulièrement accompli son service militaire de quarante jours, dû au titre de l'ost.

C'est la reine que l'on attaque ensuite par d'infâmes pamphlets, sans doute inspirés par l'université de Paris, qui reprochent à Blanche de Castille d'avoir pris parti pour les bourgeois de la ville dans les rixes qui les opposaient aux étudiants. On compare la reine à Dame Hersant, l'impudique et dévote femelle d'Ysengrin le Loup dans le *Roman de Renart*.

Ce sont enfin les terres du comté de Champagne qui sont envahies et pillées. Ce sont ses villes d'Epernay, de Vertus, de Sézanne, de Fismes qui seront brûlées au cours de la terrible campagne de l'été 1230 menée par la coalition des barons qui reprochent à Thibaut d'avoir trahi le camp des grands féodaux.

Ainsi Thibaut paye-t-il l'amour courtois qu'il voue à la reine par les calomnies dont il sera l'objet incessant et par les dommages infligés à ses biens. Plus sérieusement encore ne doit-on pas également déplorer que, prisonnier d'un certain code de l'amour courtois, Thibaut soit passé à côté d'un grand destin politique que lui offraient des circonstances historiques exceptionnelles ?

La mort de Louis VIII laisse un héritier qui n'est qu'un enfant de douze ans. A la tête du royaume : une femme. Depuis plus de deux siècles c'est la première fois que la lignée capétienne court le risque d'une minorité. L'occasion est exceptionnelle pour les grands vassaux de montrer que le modèle de gouvernement féodal doit demeurer une réalité et que le pouvoir royal doit connaître ses limites. Pendant le gouvernement de Philippe-Auguste, des provinces entières sont tombées dans l'administration royale directe : l'Artois, la Normandie, la Touraine, l'Anjou, le Berry et bien d'autres. C'est vers l'ouest, le Poitou, et vers le sud, l'Albigeois, que s'est poursuivie la politique d'annexion de la couronne. Il faut arrêter cette expansion. C'est le moment ou jamais d'obtenir, comme le firent les barons anglais en juin 1215 auprès de Jean sans Terre, une charte qui équilibrera les droits des barons et ceux du roi et qui reconnaîtra les libertés provinciales. De cette coalition, Thibaut devrait être le noyau dur, non seulement parce qu'il est l'un des plus riches et des plus puissants feudataires, mais aussi parce qu'il a subi dans son domaine et jusqu'à sa majorité l'humiliation de l'administration capétienne.

Mais il faudrait s'attaquer à Blanche, la déchoir de son titre de régente, peut-être la jeter jusqu'à la fin de ses jours dans quelque couvent et, cela, Thibaut ne peut s'y résoudre. Thibaut ne le permettra jamais : « Jamais s'il plaît à Dieu, je ne serai contre vous ni contre les vôtres », lui aurait-il promis, et il aurait ajouté : « Par ma foi, Madame, mon cœur, mon corps et toute ma terre sont à votre commandement... » Il fut fidèle à son serment, malgré quelques foucades comme la brouille avec la famille royale en 1236 que nous mettrons sur le compte du dépit, à la fin d'une liaison qui traîne en longueur.

Rêvons un instant. Thibaut eut un moment les cartes en mains pour contrer les Capétiens, leur marche lente mais inexorable vers une monarchie absolue de droit divin, leur expansion territoriale vers les frontières naturelles de l'hexagone, leur stratégie centralisatrice que les monarques et les grands commis vont poursuivre implacablement pendant cinq siècles. La France eût-elle alors, si le comte de Champagne avait abattu ses cartes, évolué comme le royaume d'Angleterre dont la charte, obtenue primitivement au profit des barons révoltés, devint finalement le premier texte constitutionnel du royaume et le fondement de ses libertés ?

Nul ne le saura jamais. Ne faisons point d'histoire-fiction. Thibaut fut paralysé par son amour courtois. Le royaume a peut-être perdu en cette première moitié du XIIIᵉ siècle un homme d'Etat. Nous y avons gagné un poète.

Claude Taittinger

Présentation des chansons de Thibaut de Champagne dans les manuscrits de Paris

Dressant dans le *De vulgari eloquentia* la liste de ceux qui, avant lui, ont su illustrer leur langue maternelle, de ces « docteurs » qui sont les garants de sa propre entreprise poétique, Dante cite à trois reprises, et avec les plus grands éloges, le nom du trouvère Thibaut de Champagne. En ce tout début du XIVe siècle — A. Pézard place la composition du *De vulgari eloquentia* vers 1305 — la précellence qu'accorde Dante à Thibaut, le seul poète en langue française qu'il nomme[1], n'a rien de surprenant et ne fait que confirmer ce que nous pouvons entrevoir de la réception de l'œuvre poétique du trouvère champenois.

La faveur qu'ont connue les chansons de Thibaut est attestée au moins par le passage souvent cité des *Grandes Chroniques de France* qui associe son nom et son talent à celui de Gace Brulé[2]. Mais il est un autre moyen peut-être de suivre de manière concrète la réception de l'œuvre : interroger les manuscrits qui nous l'ont conservée pour voir comment elle y est présentée et quelle image en est ainsi donnée.

Selon son éditeur, A. Wallensköld, trente-deux manuscrits du XIIIe et du XIVe siècle nous ont transmis l'œuvre de Thibaut. L'essentiel en est constitué par des *chansons d'amour* (trente-six) mais elle comporte aussi des *jeux-partis*, des *débats*, des *pastourelles*, des *chansons de croisade* et des pièces d'inspiration religieuse. Le nombre élevé des manuscrits est déjà significatif, même si plusieurs ne donnent que quelques-unes des pièces attribuées. Il ne saurait donc être question de les examiner tous et je ne retiendrai ici que ceux qui donnent un corpus suffisamment important pour qu'il soit possible de suivre le travail d'éditeur du texte de Thibaut auquel se sont livrés les copistes des recueils.

1. *Dante cite trois fois Thibaut en lui attribuant cependant à la troisième mention une pièce de Gace.*
2. *Voir ci-dessous, pp. 138-139.*

Comme on le sait en effet, la poésie des trouvères, comme celle des troubadours, est conservée dans des recueils nommés traditionnellement chansonniers et dont les principes d'organisation semblent parfois préfigurer les anthologies modernes. Avec, cependant, des divergences importantes. Les copistes-éditeurs de ces manuscrits ont certes tendance à présenter d'un seul tenant les chansons d'un même trouvère mais il ne s'agit que d'une tendance et il est assez fréquent que le corpus soit « éclaté » dans le manuscrit ou que des chansons apparaissent à deux reprises ; d'autre part, il est assez rare que soit donnée par un même manuscrit la totalité des pièces attribuées. Mais il est alors difficile de savoir si le copiste a procédé à un choix, et suivant quels critères, ou s'il n'a transcrit que les pièces qu'il avait à sa disposition. Une constante de ces recueils est en revanche l'indifférence à la chronologie. Les pièces d'un même trouvère sont disposées dans un ordre dont la raison d'être, bien souvent, nous échappe, qui peut cependant, dans quelques cas, être/paraître significatif, qui n'a de toute manière rien à voir avec l'ordre dans lequel elles ont été composées.

Cette indifférence à la chronologie se retrouve enfin au niveau de l'ensemble du recueil. Dans les chansonniers, la place occupée par l'œuvre de tel ou tel trouvère n'est pas fonction de sa date mais, semble-t-il, c'est du moins ce que nous voudrions démontrer, de la considération, de la faveur qu'on connues l'œuvre et/ou l'auteur. A la différence des recueils de chansons de geste ou de certains recueils de romans qui, tout en faisant fi de la chronologie réelle des œuvres, les disposent selon une chronologie logique, établissent un continuum narratif, le chansonnier de trouvères présente le texte poétique comme un ensemble atemporel où se retrouvent et se répondent les voix multiples des poètes. En sont bannies aussi bien les références biographiques que toute tentative/tentation d'ancrage historique. Seuls subsistent dans les rubriques des noms qui pourraient tout aussi bien être des *senhals* et qui, sauf exception notable, et Thibaut en est une, ne renvoient qu'à d'autres noms de trouvères, amis, complices ou rivaux en écriture. Certains manuscrits choisissent même, comme le manuscrit O, de ne faire aucune attribution.

Le mode de présentation choisie diffère donc de ce que l'on peut observer pour les manuscrits de troubadours. Un nombre important de chansonniers occitans assortissent en effet l'œuvre de chaque poète d'une *vida*, et certaines de ses chansons d'une *razo* qui imagine et image les circonstances dans lesquelles elle a été écrite. L'œuvre des troubadours est ainsi doublement ancrée dans le temps historique et dans le temps de l'écriture ; et peu importe ici que les renseignements donnés soient ou non exacts. On peut également rappeler — le fait est bien connu — que les chansonniers de trouvères notent bien plus souvent les mélodies que les chansonniers occitans. L'œuvre lyrique des trouvères est ainsi conservée, éternisée dans les manuscrits sous ses deux espèces indissociables, le texte et la musique, tandis que le mode de présentation du manuscrit rompt les liens avec tout ce qui pourrait détourner le lecteur d'une lecture essentielle du texte poétique, lui suggérer le détour biographique ou les facilités d'une approche circonstancielle.

Les chansonniers de trouvères s'efforcent cependant, mais par des procédés peut-être plus élaborés, de guider la lecture des chansons, de tracer un parcours et d'imposer une hiérarchie. Avant d'en venir au cas exemplaire de Thibaut, on peut citer ainsi comme exemple d'organisation hiérarchisée le manuscrit I (Oxford) dans lequel les pièces, toutes anonymes, sont classées par genre et qui s'ouvre sur les chansons d'amour auxquelles il réserve l'appellation de « *grans chans* », assurant doublement, par la place et le nom décerné, la précellence de la chanson d'amour sur les autres formes lyriques. Mais c'est sans doute avec Thibaut, avec la place attribuée à ses chansons dans les manuscrits, que se manifeste de manière significative la réflexion sur le texte lyrique menée par les copistes des chansonniers. J'ai examiné de ce point de vue les principaux manuscrits de Thibaut, les manuscrits M, V, N, K, X, P, O, S et T. L'ordre des pièces dans ces manuscrits fait l'objet dans l'édition Wallensköld d'un tableau synoptique établi à partir de l'ordre d'apparition des chansons dans le manuscrit M, le plus complet des chansonniers de Thibaut. Il est cependant regrettable que cette édition donne les pièces par genre et par ordre alphabétique des rimes sans plus se soucier du classement proposé par le ou les manuscrits.

Je passerai très vite sur le manuscrit S, recueil très composite, dont les principes d'organisation me restent obscurs. Les pièces lyriques qu'il donne, qui sont presque toutes de Thibaut, sont dispersées en cinq endroits du recueil. Un groupe important en est transcrit juste après un texte donnant « la division des foires de Champagne » puis (folio 312b) la liste des villes qui viennent « es foires de Champaigne de par draperie, et les moisons (mesures) des dras ». On peut alors se demander si les chansons de Thibaut n'ont pas été insérées à cet endroit parce qu'elles contribuaient à la réputation de la Champagne au même titre que ses foires et ses draps, en attendant l'invention du vin de Champagne...

Le manuscrit P, qui distingue chansons attribuées et anonymes, ne donne que très peu de pièces de Thibaut. D'après l'éditeur, il est apparenté à N, K et X. Il est cependant notable qu'à la différence de ces manuscrits, P donne des chansons de Gace, du châtelain de Coucy et de Blondel de Nesles avant d'introduire par une simple initiale celles de Thibaut. On pourrait ainsi penser qu'il introduit un certain ordre chronologique si cette hypothèse n'était démentie par la présence, après Thibaut, des chansons de Gautier de Dargies, trouvère antérieur. Il se pourrait donc que l'ordre choisi par P traduise un jugement de valeur, privilégie au détriment de Thibaut « la trilogie » Gace, le châtelain, Blondel, qui se retrouve dans d'autres chansonniers.

Le manuscrit M présente un type d'organisation beaucoup plus complexe. Le folio 1 est occupé par une chanson à la Vierge de Guillaume le Vinier[3]. En plaçant ainsi à l'orée du recueil cette pièce religieuse, le copiste n'a-t-il pas cherché à le ''dédouaner'' et à masquer, au moins provisoirement, le caractère très profane de l'ensemble du chansonnier ? Caractère qu'accentue encore la disposition des trouvères. Les pièces dans M sont en effet regroupées selon le statut social de leurs auteurs. Un premier groupe est constitué par les seigneurs, représentés, en tête de leurs chansons, à cheval avec un écu à leurs armoiries. L'enluminure représentant Thibaut a été découpée mais on peut l'imaginer d'après celle qui inaugure les chansons de Gautier de Dargies. Un second groupe est formé par les chansons des « maistres », des clercs, avec à leur tête Guillaume le Vinier. Le troisième groupe est celui des musiciens dont la figure emblématique est ici celle de Pierequin de la Coupelle, représenté en train de jouer de la vielle. L'ordre de présentation des trois groupes ne répond pas à des critères esthétiques comme le confirme la présence initiale, dans le groupe des seigneurs, du prince de Morée que l'on identifie comme Guillaume de Villehardouin, petit-neveu du Maréchal de Champagne, trouvère par ailleurs peu connu et dont il ne reste que deux pièces. Il s'agit donc selon toute vraisemblance d'une présentation qui reproduit la hiérarchie sociale, les seigneurs puis

3. *C'est la pièce XX des* Poésies *de Guillaume le Vinier, éd. Ph. Ménard, Droz, T.L.F., 1984.*

38

les clercs, la position des musiciens dans le recueil faisant de toute manière difficulté.

La présentation que fait Wallensköld des chansons de Thibaut d'après le manuscrit M ne rend pas compte de leur place réelle dans le manuscrit. Un premier groupe de quatre chansons y est donné du folio 10 au folio 12. Il devait constituer le choix effectué par le copiste de M dans les œuvres de Thibaut (ou les pièces qu'il possédait). Ce ne serait en effet que dans un second temps qu'aurait été intégré à M un chansonnier d'abord indépendant (Mt) dont le contenu correspondrait aux folios 13 et 59-77 de M. Cette insertion aurait étendu de manière spectaculaire la place d'abord réservée à Thibaut dans M sans que cette place soit cependant privilégiée[4].

Il en va différemment dans le groupe formé par les manuscrits K, N, V. Ils présentent en commun une enluminure initiale dont le sujet est l'exécution d'une chanson en présence de deux personnages couronnés assis et d'une assistance discrètement évoquée à l'arrière-plan (au moins dans K et N). Ces manuscrits ne cherchent donc plus à classer et à identifier les trouvères, comme le fait M, par leur statut social, leurs armoiries, etc. Ils représentent d'entrée de jeu ce qui est la caractéristique essentielle de la poésie comme la raison d'être du manuscrit qui la conserve : être le support d'une « performance » destinée à un public choisi qui en est tout aussi bien l'auteur que le récepteur. A la différence encore de M, et bien qu'ils en suivent d'abord l'ordre de présentation des pièces, les manuscrits K, N, V transcrivent en effet les poèmes de Thibaut, c'est-à-dire du roi de Navarre, en première place. Il est donc impossible de savoir — et l'ambiguïté est peut-être voulue — si le personnage couronné représenté sur l'enluminure est un personnage quelconque ou s'il n'est pas aussi et surtout Thibaut de Champagne, le roi de Navarre et le prince des poètes — tel serait alors son double statut — écoutant l'exécution de ses chansons dont le manuscrit déroule simultanément le texte.

Il n'est pas possible d'examiner dans le détail l'ordre d'apparition des pièces dans les manuscrits M, K, N, V. Un trait constant en est cependant la présence initiale de la chanson *Amors me fet commencier* qui permet d'inaugurer le chansonnier, dans le cas de K, N, V au moins, par le A majuscule orné de *Amors*. Viennent ensuite la chanson de croisade *Seignors sachiez*, une pastourelle (*J'aloie l'autrier errant*), une nouvelle chanson d'amour (*En chantant vueil*

4. Voir *Wallensköld*, éd. cit., p. 96.

ma dolor descovrir) et enfin cette curieuse pièce qu'est *L'autre nuit en mon dormant* et dans laquelle le trouvère dialogue avec Amour. Suit la série des chansons d'amour qu'interrompt plus ou moins discrètement, selon les manuscrits, la série des jeux partis. Tout se passe comme si ce groupe de manuscrits (ou le modèle qu'ils reproduisent) avait choisi de donner en tête des chansons une sorte d'échantillon des genres et des motifs traités par Thibaut, avait tenté de constituer une anthologie dans l'anthologie qu'est par ailleurs le recueil.

Le dernier manuscrit que j'examinerai est le manuscrit O·dont la disposition est un cas unique dans l'ensemble des chansonniers. Alors que ce manuscrit fait la part belle aux chansons de Thibaut mais aussi de Gace, il ne présente aucune rubrique permettant d'identifier les trouvères. D'autre part les chansons ne sont pas classées par genre ni par auteur mais par ordre alphabétique. « Le scribe [je cite ici Wallensköld], en copiant un manuscrit apparenté aux manuscrits K, L, N, V, et X a rangé les pièces de son modèle par ordre alphabétique d'après la première lettre des pièces, de sorte que les pièces par lesquelles débutait ce modèle (et qui seraient donc les chansons de Thibaut) sont dans O les premières sous chaque initiale. » L'ordre suivi, toutefois, n'est pas aussi mécanique que le laisse supposer la formulation de l'éditeur : il semble bien que se reconstitue, à l'intérieur de chaque série, comme une hiérarchie des auteurs et peut-être des pièces. Se lisent ainsi sous A quatre pièces de Thibaut dont la première est *Ausi com unicorne sui* et la suivante *Amors me fet commencier*, chanson placée en seconde position au mépris *et* de l'ordre alphabétique pur *et* de sa position initiale dans les manuscrits M, V, N, K, X, etc. Suivent, toujours sous A, une pièce de Blondel puis des pièces de Gace. L'ordre Thibaut-Gace qui reprend un ordre souvent attesté dans les chansonniers se retrouve sous les lettres B, C, D, E, F, L, N, Q et S, créant dans le manuscrit O un véritable effet de hiérarchisation. Enfin, là où les chansons de Thibaut ne fournissent pas l'initiale nécessaire, c'est celles de Gace qui apparaissent (lettres I et O) voire, pour H, celle d'un trouvère moins connu, Gilbert de Berneville.

Il semble surtout que la chanson initiale de série, qui est rarement celle qu'exigerait un ordre alphabétique rigoureux, ait été choisie et ainsi placée en fonction des possibilités d'illustration qu'elle présentait. Chaque lettre initiale de série dans le manuscrit O est en effet une lettre ''historiée'' et l'histoire qu'elle propose est en rapport plus ou moins explicite avec la chanson qui s'enchaîne à l'initiale. Presque toutes ces lettres historiées représentent un trouvère qui peut facilement être identifié par un lecteur un peu averti, capable de reconnaître les textes, comme l'auteur de la chanson placée au début de la série, c'est-à-dire le plus souvent Thibaut. Il est cependant remarquable que le trouvère apparaisse ici très régulièrement vêtu d'un simple bliaut ou enveloppé dans un manteau dépourvu d'ornement, de fourrure, etc. et le plus souvent tête nue. Habillement donc qui évoque davantage le clerc que le chevalier ou le roi et qui gomme le véritable statut social de l'écrivain. Une seule exception est la lettre S qui orne la chanson de croisade *Seignors sachiez* et dans laquelle un personnage portant sur la tête un chaperon, le roi de Navarre, l'index impérativement pointé, exhorte ses compagnons au départ outre-mer.

Si l'on met à part la lettre S, liée au genre très particulier de la chanson de croisade, il apparaît d'abord que l'enluminure ne fonctionne nullement dans le manuscrit O comme l'équivalent d'une *vida*, mais qu'elle ramène systématiquement le roi de Navarre et le cas échéant Gace ou un autre trouvère à ce qu'il est, à ce qu'il doit seulement être dans un recueil de chansons : un amant chantant, écrivant son amour pour sa dame. Quatre lettres historiées, G, P, T, U, représentent d'ailleurs Thibaut tenant à la main le rôle sur lequel il est en train d'écrire la chanson. Mais cette première série « d'histoires », à laquelle il faut ajouter celle de la lettre H, n'est sans doute qu'un pis-aller dans les procédures d'illustration mises en place par O.

Il est en effet manifeste que l'enlumineur a plus souvent encore cherché à présenter moins l'acte même de composition de la chanson que le motif qu'elle développe, au moins dans sa première strophe. Cependant, pas plus qu'elle n'est l'équivalent d'une *vida* circonstanciée, l'image ne joue alors le rôle d'une *razo*. Elle ne cherche pas en effet à élucider les circonstances qui ont généré la chanson, son origine pseudo-biographique, mais à fixer, à narrativiser par l'image la situation que développe le texte pour arriver parfois à capter l'essence même du lyrisme courtois.

Ainsi des lettres N et Q qui mettent en scène la méditation douloureuse qu'est la chanson en représentant le trouvère assis, prostré, la main à la *maisselle*. Ainsi de la lettre D qui illustre le motif de la prière de l'amant, prière adressée à la dame enfin présente mais dont la main droite levée semble, dès le premier vers, rejeter la demande du trouvère. Ainsi de la lettre M qui combine, en les juxtaposant, l'attitude de l'amant prostré, la main à la *maisselle*, et de la dame qui se refuse, le jambage intérieur du M (Pl. p. 21) venant ici signifier l'impossible circulation et réciprocité du désir à l'intérieur d'un couple éternellement disjoint.

Plus "facile", l'illustration du L de *L'autre nuit...* représente la situation initiale de la chanson : le trouvère dialoguant en rêve avec Amour tandis que la lettre C (*Contre le tens qui devise...*) met en scène la métaphore des vers 7-8 de la strophe I : « *Amors qui en moi s'est mise/Bien m'a a droit son dart geté.* »

Le F de la chanson *Fueille ne flor ne vaut riens en chantant* est peut-être moins bien venu de prime abord. Représentant le trouvère face à un arbre, il unit en effet ce que le texte rejette, un lyrisme qui trouverait son inspiration dans le motif trop facile de la *reverdie*. A moins que l'image ne vienne signifier l'impossible rupture de l'écriture et de la sensation, ne fasse retour à la nécessaire confrontation du trouvère avec l'univers sensible, source vive de toute métaphore. Un cas particulier est celui de la lettre I (Pl. p. 22) qui illustre l'une des deux pastourelles de Thibaut : *J'aloie l'autrier errant...* La lettre historiée mais aussi la peinture marginale proposent comme un résumé du texte : la bergère y est représentée avec un bâton dont elle menace le chevalier et sont dessinés en arrière-plan les deux bergers qui viendront à son secours. Est en revanche escamotée la brève rencontre entre le chevalier et la pastoure, l'ensemble de la peinture opposant l'espace totalement clos sur lui-même du chevalier qui ne peut sortir de l'épaisseur du I, à l'espace sans bornes, sans limites assignables, dans lequel se situe la bergère, symbole d'un amour libre de toutes contraintes mais aussi interdit au trouvère que celui de la dame.

On a vu enfin comment le copiste de O avait modifié l'ordre alphabétique et l'ordre canonique que lui fournissait son modèle pour commencer son recueil par la chanson *Ausi com unicorne sui* et l'illustrer avec autant d'ampleur que d'ambiguïté. L'enluminure (Pl. p. 23) reprend certes les données de la première strophe : la licorne tuée par le chasseur alors qu'elle s'abîme dans la contemplation de la jeune fille mais en les réinterprétant et au prix, peut-être, d'un curieux contresens. On fait généralement du *je* du trouvère, métaphorisé par le *elle* de l'unicorne, le sujet des verbes *sui, esbahist* et *mirant* :

« Ausi conme unicorne sui
Qui s'esbahist en regardant,
Quant la pucele va mirant. »

Or il semble bien que l'illustrateur ait compris ou voulu comprendre, mais le texte du vers 3 n'est pas clair, que c'était la jeune fille et non le poète qui se perd dans la contemplation de sa beauté. Interprétation qui lui aura suggéré d'introduire un miroir dans sa peinture. Pour un lecteur du XIIIe siècle épris du lyrisme courtois, mais aussi pour un lecteur moderne, ce miroir évoque presque obligatoirement le miroir dans lequel se contemple Oiseuse dans le *Roman de la Rose* de Guillaume de Lorris, miroir qui fait lui-même écho à cet autre miroir qu'est dans le texte la Fontaine de Narcisse...

L'enlumineur pervertit ainsi doublement le motif, hérité des *Bestiaires*, de la vierge à la licorne. A la suite du texte de Thibaut, il substitue à la Vierge attirant en son sein la licorne divine qu'est le Christ, la dame inspiratrice d'un amour tout humain. Mais par le motif du miroir et à travers la scène de mise à mort qu'elle organise ou du moins à laquelle elle se prête, il fait aussi de la dame le double d'Oiseuse, de la jeune femme qui introduit le rêveur dans le verger de Deduit où il sera lui aussi blessé de la flèche du dieu Amour.

L'enluminure initiale du manuscrit O apparaît alors comme la « scène primitive » du lyrisme courtois. Elle synthétise le moment primordial où l'amant, séduit par la dame, succombe à la blessure infligée par cet impitoyable chasseur qu'est Amour. Mais la place centrale du miroir, interposé entre la dame et le dieu, pose encore une autre interrogation. Dans ce miroir que tient, que tend la dame et dans lequel il n'est finalement même pas sûr qu'elle se contemple, quelle image s'est jamais prise au piège ? La sienne, alors indifférente à la scène de mort qui se joue à ses pieds ? Ou celle peut-être, un moment surimposée, de l'amant licorne lui aussi trahi/séduit par son propre reflet, par son désir mortifère ?

Par le biais d'une lecture fautive et peut-être délibérément fautive du vers 3, l'enlumineur du manuscrit O invente ainsi et dispose, en frontispice aux chansons du roi-poète, du prince des trouvères, une scène qui prend aux lacs du A d'*Amors* l'essence même du lyrisme courtois, de la *fin'amor* : l'ambiguïté d'un désir (d'une écriture) qui ne s'adresse à la dame que pour faire indéfiniment retour sur lui-même, que pour mirer son image dans les yeux de l'autre et s'enivrer jusqu'à la jouissance extatique non des mots d'amour qu'entend ou espère le trouvère mais de ceux qu'il invente.

Emmanuèle Baumgartner

Manuscrits, éditions, travaux cités et/ou consultés :

MANUSCRITS :
I Oxford, Douce 308, XIVᵉ ; K Arsenal, 5198, XIIIᵉ ; M Paris B.N., Fr 844, XIIIᵉ ; N Paris B.N. 845, XIIIᵉ ; O Paris B.N., Fr 846, XIIIᵉ ; P Paris B.N. 847, XIIIᵉ ; S Paris B.N. 12581, XIVᵉ ; T Paris B.N., Z 2615, XIIIᵉ ; V Paris B.N. Fr ou WAF 24406, XIIIᵉ.

EDITIONS :

Dante, *De vulgari eloquentia*, traduction A. Pézard dans *Œuvres complètes*, Paris, Gallimard, Bibliothèque de La Pléiade, 1965.

Guillaume de Lorris, *Le Roman de la Rose,* éd. F. Lecoy, C.F.M.A., 1965,

Thibaut de Champagne, éd. A. Wallensköld, S.A.T.F., 1925.

ETUDE :

M. L. Meneghetti, *Il publico dei trovatori,* Mucchi Editore, Modène 1984.

Les chansons
de Thibaut de Champagne :
l'écriture et le livre

Il y a longtemps déjà, dans un cours en Sorbonne sur la poésie lyrique des XIIᵉ et XIIIᵉ siècles, Jean Frappier, à propos de Thibaut de Champagne, observait qu'il avait « laissé parler son esprit plutôt que son cœur[1] ». Sans s'avancer plus avant dans cette voie, le grand médiéviste avait cependant caractérisé en quelques mots ce qui semble être, à l'intérieur du carcan des conventions courtoises, la marque personnelle de la poésie du roi de Navarre. Si, comme le remarque E. Baumgartner des trouvères de la première génération, les chansons de Blondel de Nesles, de Gace Brulé et du châtelain de Coucy procèdent toutes, dans une mesure variable, d'une « écriture de l'amour » à laquelle seul l'amant sincère peut prétendre, il se pourrait que ce soit seulement « l'amour de l'écriture[2] » qui ait occupé avant tout Thibaut de Champagne. Amour de l'écriture, plus nourri peut-être de fréquentation éclectique des livres que du pur et spontané désir amoureux, recherche qui le porte à bien marquer sa différence, à singulariser sa voix dans le concert lyrique plus fermement que par la préciosité qu'on lui a généralement et à juste titre reconnue. Ses distances, il m'a semblé qu'il les prenait de plusieurs façons, soit en refusant certains des motifs utilisés par ses prédécesseurs ou en déviant le sens habituel du symbolisme médiéval, soit en parodiant plaisamment des situations romanesques connues, soit enfin en court-circuitant complètement la tradition pour retrouver et suivre celle de l'Antiquité.

Sur les trente-six chansons d'amour de Thibaut, cinq seulement s'ouvrent sur le motif traditionnel de la reverdie. Le mouvement de rejet de ce topique, déjà largement amorcé chez les trouvères précédents[3], s'amplifie ici considérablement et même, si l'on considère d'un peu plus près la façon

1. J. Frappier, La Poésie lyrique en France aux XIIᵉ et XIIIᵉ siècles, *Paris, Cours de Sorbonne, C.D.U., 1966, p. 195.*
2. E. Baumgartner, *"Remarques sur la poésie de Gace Brulé",* Revue des langues romanes, *1984, pp. 6, 7, 9 et 10.*
3. Ibid. *p. 2.*

dont il est utilisé, on peut dire que ce refus est quasiment total. Une seule en effet de ces cinq chansons ne détourne pas le motif de sa forme ni de son sens habituels, c'est la chanson XXIV, « Contre le tens qui devise... » ; printemps, oiseau, chant et amour, tout y est et dans l'ordre[4]. Une autre, la chanson XIV, s'ouvre sur la fuite de l'hiver et l'apparition de l'été, mais ce « douz tens » n'apporte pas au poète la joie ou éventuellement la douleur d'amour ; elle lui inspire au contraire une réflexion amère sur les destins respectifs du « faus prïerres » et du « fins amis » : rivalité d'hommes d'abord ; l'affirmation d'amour ne vient qu'ensuite. Dans une autre encore, la chanson VIII, le motif est inversé, ce qui est tout aussi classique, mais l'insistance qu'apporte le poète à dire que rien ne pourra distraire d'Amour ses pensées est trop forte pour n'être pas un peu suspecte :

« Por maus tens ne por gelee
Ne por froide matinee
Ne por nule autre rien nee
Ne partirai ma pensee
D'Amors que j'ai... » (I, 1-5.)

d'autant qu'un autre poème (XXVIII) semble répondre à cette persévérance, mais pour la condamner :

« Por froidure ne por yver felon
        Ne lesserai
Que ne face d'amors une chançon,
        Et si dirai
Que qui aime repente s'en, s'il puet. » (I, 1-5.)

Quant à la raison de cette condamnation, elle apparaît nettement dans la chanson IV :

« Fueille ne flor ne vaut riens en chantant
Que por defaut, sanz plus, de rimoier... » (I, 1-2.)

Thibaut dénonce clairement le stratagème de l'association printemps, amour et chant, bon tout juste pour les mauvais poètes ; non seulement il dissocie amour et printemps mais il ne prend en considération que l'écriture : « rimoier » ; il rompt définitivement avec la tradition.

Une révision analogue, bien que moins catégorique, semble frapper le sens ou le symbolisme attachés à certains animaux ou personnages, réels ou mythiques. Ainsi la chasse à la licorne, cet animal fabuleux si difficile à capturer, est-elle dans les *Bestiaires* toujours racontée à peu près de la même façon[5], que l'histoire soit ou non christianisée. Le but de cette chasse est la capture et non la mort de cette

4. « *Contre le tens qui devise
Yver et pluie d'esté,
Et la mauvis se debrise,
Qui de lonc tens n'a chanté,
Ferai chançon, car a gré
Me vient que j'ai enpensé.
Amors, qui en moi s'est mise,
Bien m'a droit son dart geté.* »
Edition de référence : A. Wallensköld, Les Chansons de Thibaut de Champagne, S.A.T.F., Champion, 1925.
5. Voir ceux de Pierre de Beauvais, de Guillaume le Clerc de Normandie et le Livre du trésor *de Brunetto Latini dans G. Bianciotto,* Bestiaires du Moyen Age, *Stock-plus, respectivement pp. 38, 92 et 239.*

bête extraordinaire ; c'est pourquoi, étant donné sa vigueur et sa férocité peu communes, on doit recourir à la ruse. Celle-ci est bien connue : seule une jeune fille vierge a le pouvoir de l'attirer et de l'endormir sur ses genoux. On peut alors s'emparer de la licorne et la lier pour la conduire au roi. Thibaut, lui, fait mourir cette malheureuse « unicorne[6] » à laquelle il s'identifie :

« Lors l'ocit on en traïson. » (I,. 6.)

Pourquoi cette déformation ? Sans doute pour rendre plus sensible l'état du poète qui se meurt parce qu'Amour et sa dame l'ont tué. La dureté du vers, réduit aux deux effets de sens, mort et traîtrise, milite en ce sens.

Jason, Piramus et Tristan sont, eux aussi, évoqués d'une façon inhabituelle et inattendue. Jason, dont on ne retient généralement que la réussite de conquérant, en laissant de côté la vengeance exercée ensuite par Médée, ne sert ici que d'une sorte d'instrument de mesure[7] pour faire apprécier la souffrance du poète, souffrance bien sujette à caution d'ailleurs, eu égard au rythme sautillant et allègre de la chanson :

« Por conforter ma pesance
        Faz un son.
Bons ert, se il m'en avance,
        Car Jason,
Cil qui conquist la toison,
N'ot pas si grief penitance.
        E ! é ! é ! » (I, I-7.)

Piramus, au contraire, qu'une abondante tradition héritée d'Ovide représente comme un type d'amant voué à la mort par un destin aveugle, apparaît chez Thibaut[8] comme le modèle de l'homme comblé et enviable dont le poète voudrait avoir la chance :

« Pleüst a Dieu, pour ma dolor garir,
Qu'el fust Tisbé, car je sui Piramus. » (2, II.-I2.)

Il est vrai qu'il est, aussitôt après, question de mort, mais, si du moins je comprends bien ces deux vers, c'est que le poète craint que ce vœu ne puisse se réaliser et alors il mourra car il n'obtiendra rien de sa dame :

« Mes je voi bien ce ne puet avenir :
Ensi morrai que ja n'en avrai plus. » (2, I4-I5.)

Tristan, quant à lui, considéré par les troubadours et les trouvères[9] comme le prototype de l'amant parfait, celui

6. *Chanson XXXIV, p. 112.*
7. *Chanson I, p. 1.*
8. *Chanson XXI, p. 69.*
9. *Entre autres Bernard de Ventadour, Chrétien de Troyes, Raoul de Soissons.*

par excellence chez qui la joie d'amour fut non pareille, semble presque un besogneux qui, malgré ses efforts, n'a pu réussir à goûter un grand bonheur[10] :

« Douce Dame, s'il vos pleisoit un soir
M'avrïez vos plus de joie doné
C'onques Tristans, qui en fist son pouoir,
N'en pout avoir nul jor de son aé. » (4, 32-35.)

Chaque fois les nécessités de l'écriture l'emportent sur l'héritage culturel ; il s'agit de mettre en relief un sentiment, de rendre un vœu plus opérant, une requête plus touchante, mais surtout, semble-t-il, le roi de Navarre n'entend pas être l'esclave d'une tradition, le maillon d'une chaîne semblable à tous les autres ; il retient du mythe ce qui lui plaît et il en fait son miel.

Confirmation en est donnée par la mention de Narcisse qui fait lui aussi partie, comme on le sait, de la mythologie courtoise. On connaît l'exploitation qu'a faite de ce personnage Bernard de Ventadour dans sa célèbre *Lauzeta* : le poète, se voyant dans les yeux de sa dame comme en un miroir, s'est perdu de la même façon que lui[11]. L'interprétation reste très proche du texte d'Ovide ; seule la nature du miroir est différente. Notoire aussi et capital dans l'organisation du récit l'épisode du *Roman de la Rose* de Guillaume de Lorris ; l'amant « choisit », au sens médiéval, dans les deux cristaux de la fontaine, symboles des yeux de la dame, le buisson de roses au milieu duquel il « élira » ensuite l'objet unique de son amour[12]. Tout au long des quelque deux cent cinquante vers que compte cette narration, le sens se révèle par paliers successifs. Dans un premier temps Guillaume rapporte très exactement l'histoire de Narcisse telle qu'elle se lit dans les *Métamorphoses* ; il élargit ensuite la portée de la morale du mythe pour signifier que tout amour est piège trompeur et porte en soi la folie de la passion qui devient vite souffrance et peut-être mort. Mais dans l'un et l'autre de ces célèbres passages, subsistent de toute façon les éléments indispensables que sont le personnage regardant et le miroir, quels que soient les développements ultérieurs. Même dans *Flamenca* qui reprend la version provençale du conte ovidien selon laquelle Narcisse se noie, on trouve le verbe « mirar[13] ». Le miroir apparaît même comme un objet si fascinant qu'on l'utilise tout seul et détaché complètement d'un contexte narcissique. Arnaut de Mareuil par exemple s'en sert pour fixer dans son cœur l'image de la dame et certaines lettrines de chansonniers peu-

10. *Chanson XXIII, p. 76.*
11. *Bernard de Ventadour,* Chansons d'amour, *édition M. Lazar, Klincksieck, 1966, p. 180, 31, str. III.*
12. *Guillaume de Lorris et Jean de Meun,* Le Roman de la Rose, *édition F. Lecoy, C.F.M.A., Champion, 1965, t. I, v. 1423 à 1678.*
13. Flamenca, *édition Ulrich Geschwind, Francke, Berne, 1976, t. I, texte, p. 39, v. 646-7 :*
« l'us dis com neguet en la fon le belz Narcis quan s'i miret ».

vent s'orner d'un miroir placé dans la main d'un personnage sans que le rapport avec le texte apparaisse clairement[14]. Pour Thibaut au contraire, Narcisse, qui le représente, n'est plus du tout un personnage regardant mais seulement quelqu'un qui se noie et peut-être même qui se tue :

« Narcisus sui, qui noia tout par soi[15]. »

Quoi qu'il en soit, Thibaut, là encore, en ne gardant que le symbolisme de la mort, fait servir le mythe à ses propres fins, le vidant pratiquement de sa substance originelle, utilisant le livre uniquement pour la mise en œuvre de son écriture.

Cette liberté du poète s'exerce cependant de façons diverses ; il peut aussi manifester sa verve à propos de situations évoquées dans ses chansons qui renvoient à des scènes ou à des motifs romanesques, voire au grand chant courtois lui-même.

La chanson IV dont j'ai déjà parlé est, à cet égard encore, pleine d'enseignements. Dès la deuxième strophe en effet, le poète recrée en raccourci, mais très exactement, la situation du verger de Guillaume de Lorris. Après avoir placé tout le poème sous le signe de l'écriture, comme je l'ai indiqué, et s'être plaint de la « vilaine gent / qui mauvès moz font souvent aboier » (I. 3-4), ce qui confirme l'orientation prise, il ajoute, afin de pouvoir introduire le tableau du verger, qu'il chante seulement « pour [son] cuer fere un pou plus joiant » (I. 6) ; puis il développe sa comparaison :

« Qui voit venir son anemi corant
Pour trere a lui granz saetes d'acier
Bien se devroit destorner en fuiant
Et garantir, s'il pouoit, de l'archier ;
Mais, quant Amors vient plus a moi lancier,
Et mains la fui, c'est merveille trop grant,
Q'ausic reçoif son coup entre la gent
Com se g'iere touz seus en un vergier. » (2.)

La situation à laquelle se trouve confronté le poète est en tous points comparable à celle de l'amant du *Roman de la Rose*[16] : tout seul en un verger, et la chute du dernier vers met bien en relief cette circonstance particulière ; le dieu d'amour s'apprête à lui décocher ses flèches, celles d'acier, les plus douloureuses, et lui, comme paralysé, ne cherche pas à s'enfuir et s'étonne de sa faiblesse. Chez Guillaume de Lorris, la scène est beaucoup plus détaillée, elle s'étend sur deux cents vers (1679-1878), mais elle se déroule de la

14. C'est le cas pour la chanson « Ausi com unicorne sui », B.N., ms fr. 846, folio 1.
15. Chanson XXII, p. 72, V, 36.
16. Edition citée, pp. 52 à 58.

même façon : l'amant est d'abord poursuivi tout le jour par le dieu (1679-1681) dans le verger de Deduiz, il le voit venir ainsi qu'il est dit du personnage évoqué par Thibaut. Puis Amour, appelé « li archiers » là aussi et à plusieurs reprises (1760, 1780, 1794), se comporte en ennemi, tirant sans défier (1739), faisant tous ses efforts pour tourmenter le plus possible sa victime (1760-I), la prenant comme une véritable cible (1816-7) et s'apprêtant à lui faire subir le martyre (1835). C'est ce que Thibaut résume simplement avec « anemi corant / pour trere a lui granz saetes d'acier ». Enfin, le narrateur du *Roman de la Rose* est, comme le poète, incapable de fuir, d'abord « pasmé » (1767), puis « asis » (1775) et, quand il parvient à se mettre sur ses pieds, « foibles et vains » (1792). Il existe cependant entre les deux textes une différence importante qui me ramène à mon propos : loin d'avoir perdu, comme l'amant du verger, tout esprit critique et d'adhérer sans réserve aux commandements d'Amour, le roi de Navarre conseille au contraire de se protéger de ses méfaits (« bien se devroit destorner en fuiant ») et, s'il est vrai qu'il se réfère à son contemporain Guillaume de Lorris, c'est pour s'en démarquer aussitôt, en soulignant bien, grâce à la comparaison hypothétique, sa propre distance : « Com se g'iere touz seus en un vergier. » S'il connaît le livre, il réserve son écriture.

D'autres fois il préfère sourire, ou peut-être rire franchement ; en tout cas il y invite fermement, dans le deuxième envoi de la chanson XVII, ses trois amis, « Phelipe », sans doute Philippe de Nanteuil, « Renaut » et « Lorent » qui, eux, nous sont inconnus :

« Renaut, Phelipe, Lorent,
Mult sont or li mot sanglent
Dont couvient que vos riëz. » (7, 49-51.)

Rire, le dernier mot, le point d'aboutissement du poème. Et il faut rire à trois, entre amis, rire partagé, complice, et à propos des « mot sanglent », des paroles cruelles, ou peut-être détestables, par antiphrase. Mais de quelles paroles s'agit-il ? En l'absence d'autres pistes, sans doute ne peuvent-elles être que les mots mêmes de la chanson qui, à vrai dire, paraît tout entière prise dans le jeu de l'ambiguïté plaisante. Si nous considérons la pointe finale qui s'adresse à la dame et peut se résumer ainsi : « Tuez-moi si cela vous plaît, je vous en prie, mais si vous m'aimez mieux vivant j'en serai plus heureux », comment alors prendre au sérieux les affirmations de la strophe précédente où la souffrance d'amour du poète se prétend plus dure que celle du chevalier dépouillé de ses armes, ou celle de la pauvre vieille qui a tout perdu dans l'incendie ou encore l'angoisse du loup affamé ? Le ton avait été donné, au reste, dès l'abord, quand Thibaut, paraissant jouer sur les deux sens du mot « chaut », le met en relation avec le verbe « ardoir ». Après avoir insisté sur ses soupirs, ses plaintes et ses pleurs, il continue :

> « Deus ! Tant art quant la remir,
> Mès bien sai q'il ne l'en chaut. » (I, 8-9.)

Ce qui signifie, littéralement et bien évidemment, que lui brûle alors qu'elle ne s'en soucie guère, mais on ne peut s'empêcher d'entendre aussi « chaut » comme un écho de « art » et d'imaginer le poète se plaignant en outre de ce que la dame n'ait pas plus d'ardeur. Puis c'est l'image de la dame, longuement développée au centre de la chanson, qui nous ramène au livre, au roman d'aventures cette fois qui, si souvent, nous raconte la chasse au blanc cerf :

> « Li cers est aventureus
> Et si est blans comme nois
> Et si a les crins andeus
> Plus sors que or espanois. » (3, 19-22.)

Alors que Rigaut de Barbezieux, s'identifiant au cerf mourant au bout de son parcours, se tourne vers sa dame pour se mettre à sa merci, alors que le roman fait de la capture du blanc cerf une épreuve qualifiante pour le chevalier[17] ou annonce, grâce à lui, quelque aventure merveilleuse[18], Thibaut parodie apparemment cette abondante tradition, faisant du cerf blanc l'image de la dame, le parant de deux tresses blondes, ce qui crée une apparition pour le moins insolite, et faisant de lui Thibaut le chasseur. Le renvoi au roman est d'ailleurs bien suggéré par l'adjectif « aventureus » qualifiant ce cerf très particulier. Et c'est à ce moment que le poète se nomme explicitement, superposant ainsi le personnage écrivant et celui qui dans la chanson dit « je », dotant en même temps cette comparaison d'une sorte d'authenticité et donc d'une plus grande force. On peut enfin ajouter qu'il fait là coup double, car la *fin'amor* qu'il professe se trouve sérieusement égratignée par cette poursuite burlesque, plus propre à un coureur de jupons qu'à un amant courtois.

Et que dire de cette strophe de la pièce VII qui évoque irrésistiblement le Lancelot de Chrétien de Troyes, resté pan-

17. *Entre autres dans* Tyolet *et la* 2ᵉ Continuation de Perceval.
18. *En particulier dans* Erec et Enide, Guigemar, Graelent.

51

tois à la porte de la chambre de Guenièvre, tout étourdi du mépris qu'elle vient de lui manifester, puis, quelques jours plus tard, adorant sa reine à genoux pendant les premières minutes de leur unique nuit d'amour ?

> « N'os entrer en son repaire,
>   Tant dout son corroz.
>   As sospirs et as sangloz
> M'en tieng, que n'en puis plus faire ;
>   Ainz vois aorant
>   Le leu et merci criant
> Comme a un haut saintuaire. » (5.)

Il faudrait, pour bien faire, citer aussi tous les échos de « saintuaire » et encore tous ceux qu'éveillent de nombreux autres vers. Bref Thibaut se promène avec une grande aisance dans la littérature de son temps, mais il ne se contente pas d'allusions ou d'emprunts ; il juge, il raille, toujours certes avec mesure, adresse et quelque peu d'hermétisme ; il en profite surtout pour affirmer sa différence.

Cependant, plus révélateur encore de l'indépendance du poète est son recours direct au livre antique qui occulte complètement la tradition. Deux exemples sont particulièrement frappants, celui du phénix et celui du rossignol.

Le phénix est, de toute éternité semble-t-il, symbole de résurrection au point d'avoir fourni à la langue l'expression « renaître de ses cendres ». Ce sont d'ailleurs les mots mêmes d'Isidore de Séville dans ses *Etymologies* : « de cineribus resurgit[19] ». Mais cette tradition, apparemment si bien établie, ne remonte qu'aux premiers siècles de l'Eglise. Clément de Rome d'abord, Tertullien et Commodien ensuite se servent de la légende pour affirmer l'immortalité de l'âme[20], les pères de l'Eglise font de l'oiseau fabuleux un symbole du Christ et popularisent leur version. Les bestiaires, avec un ensemble parfait, même s'ils ne font pas explicitement référence à la mort et à la résurrection de Jésus, ne manquent jamais de préciser que c'est le troisième jour que l'oiseau renaît, entièrement régénéré[21]. Cependant, si nous nous tournons vers les sources, il en va tout autrement. Pline[22], reprenant Hérodote, donnant lui-même les références de Manilius et de Cornelius Valerianus, en bon naturaliste, se borne à rassembler des renseignements : il indique que le phénix vient d'Arabie, qu'il vit cinq cent quarante ans et que lorsqu'il meurt après avoir construit un nid qu'il remplit d'aromates, naît de ses os un vermisseau qui devient

19. *Isidore de Séville*, Etymologiarum, *édition Reto et Casquero, 2 vol., Biblioteca de Autores cristianos, Madrid, 1983. Tome II, XII, p. 108, art. 22 : « Phœnix Arabiae avis, dicta quod colorem phœniceum habeat, vel quod sit in toto orbe singularis et unica. Nam Arabes singularem ''phoenicem'' vocant. Haec quingentis ultra annis vivens, dum se viderit senuisse, collectis aromatum virgulis, rogum sibi instruit, et conversa ad radium solis alarum plausu voluntarium sibi incendium nutrit, sicque iterum de cineribus suis resurgit. »*
20. *Voir dom F. Cabrol et dom H. Leclercq, Dictionnaire d'archéologie chrétienne et de liturgie, Paris, 1939, t. XIV, pp. 682 à 691, article ''Phénix''.*
21. *Bestiaires, édition citée, pp. 30, 79, 204.*
22. *Histoire naturelle, livre X, 3.*

un oiselet et rend à son prédécesseur les devoirs funèbres, le transportant dans la ville du soleil où il le dépose sur un autel. Ovide[23] précise en outre que le petit phénix naît du corps paternel (« corpore de patrio », 402). Tacite[24] rapporte les mêmes faits que Pline et Ovide mais s'attache surtout à discuter les allégations des Grecs et des Romains. Il fait allusion au père et au fils, ajoutant même le détail d'un principe génital répandu sur le nid, cherchant ainsi à rationaliser, prenant de la distance par rapport aux récits fabuleux.

Aucune résurrection dans tout cela, mais la mort d'un père et la naissance d'un fils qui, simplement, coïncident. La renaissance et le bûcher apparaissent cependant dans les *Epigrammes* de Martial[25] mais sous la forme d'une simple incidence et semblent ne servir qu'à fournir une comparaison originale : « de même que les flammes renouvellent le nid assyrien de l'oiseau dix fois séculaire, de même une Rome nouvelle, etc. » Stace[26] procède de la même façon mais sur le mode plaisant dans son oraison funèbre parodique pour le perroquet de Mélior qui, écrit-il, « montera sur son bûcher odorant aussi magnifiquement que le phénix ». L'un et l'autre utilisent le mythe de l'oiseau fabuleux comme un simple ornement de style, en forçant quelque peu la légende.

Et Thibaut dans tout cela ? Il ne voit dans le phénix qu'un symbole de mort et de mort volontaire[27] :

« Le Fenix qiert la busche et le sarment
En quoi il s'art et gete fors de vie.
Ainsi quis je ma mort et mon torment. » (4, 25-7.)

Il semble qu'il suive d'abord les bestiaires : le phénix rassemble lui-même le bois de son bûcher ; mais il abandonne ensuite complètement ses contemporains pour se rattacher directement à la tradition et d'une manière qui peut apparaître scandaleusement désinvolte. En effet le phénix ne peut être un modèle et un exemple dans la France du XIIIe siècle que s'il recherche sa mort dans le but de se régénérer et pour acquérir une nouvelle vie ; de même que le Christ a voulu lui aussi mourir, mais uniquement pour racheter les hommes et, en ressuscitant ensuite, leur prouver sa nature divine. Tandis que la recherche de la mort comme fin en soi est une démarche païenne et déplorable devant laquelle cependant Thibaut ne recule nullement puisqu'il s'agit de susciter une image frappante, la plus propre à rendre compte de la brûlure du souvenir et du désir.

23. Métamorphoses, *XV, 391-407.*
24. Annales, *VI, 28.*
25. Epigrammes, *V, VII, I :*
« Qualiter Assyrios renovant incendia nidos,
una decem quotiens saecula vixit avis,
taliter exuta est veterem nova Roma senectam... »
26. Sylves, *II, IV, 37 :*
« ... senio nec fessus inerti
scandet odoratos Phoenix felicior ignes. »
27. Chanson XX, *p. 64.*

Mais c'est avec le rossignol que la référence à la fois à l'Antiquité et à l'écriture prend, chez Thibaut, toute sa signification. Le chant du rossignol, pour les troubadours et les trouvères unanimes, c'est le principe de la joie d'amour. Bernard de Ventadour commence neuf de ses chansons en associant le rossignol et le chant d'amour au « joi »[28] et pas une seule fois il n'en tire une image de mort. Jaufré Rudel fait de même et Peire d'Alvernhe et Peire Vidal[29] et, chez les trouvères, Blondel de Nesles, le châtelain de Coucy, Colin Muset[30], pour ne citer qu'eux, suivent la même voie. Les exemples sont innombrables. Même le *Laüstic* de Marie de France préside au début du lai au « deduit » et au « delit » des amants qui, grâce à son chant et faute de mieux, peuvent au moins échanger des regards[31]. Il est la source et l'associé de leur bonheur. Et dans *La Messe des oiseaux* de Jean de Condé, c'est le rossignol qui, à la demande de Vénus, chante l'office dans l'allégresse générale[32]. L'association est toujours la même : chant, amour, joie.

Pour Thibaut au contraire, le rossignol n'est qu'une représentation de la mort :

« Li rosignous chante tant
Que morz chiet de l'arbre jus ;
Si bele mort ne vit nus,
Tant douce ne si plesant.
Autresi muir en chantant a hauz criz,
Que je ne puis de ma dame estre oïz,
N'ele de moi pitié avoir ne daigne[33]. »

Le poète, comme l'oiseau, meurt en chantant. Il n'est question ni de joie, ni, ou à peine, d'amour. C'est le chant, et plus précisément l'épuisement causé par le chant qui est responsable de la mort de l'un et de l'autre. Cette vision va à l'encontre de tout ce qu'expriment la poésie et le roman des XIIe et XIIIe siècles ; en revanche elle est, à peu de chose près, celle de Pline. On peut lire en effet dans son *Histoire naturelle* que « les rossignols font entendre leur ramage pendant quinze jours et quinze nuits consécutifs, sans interruption, lorsque s'épaissit le feuillage nouveau », que ce chant « cesse peu à peu [...] sans qu'on puisse dire si les rossignols sont las ou dégoûtés. » L'accent est mis sur leur science musicale consommée (« in una perfecta musica scientia »), chacun ayant des airs qui lui sont propres, les plus expérimentés donnant des leçons aux plus jeunes, les reprenant, les encourageant. Et lorsqu'il est engagé dans un concours de chant avec ses semblables, le rossignol s'y adonne avec une

28. Edition citée, chansons 10, 20, 23, 28, 34, 39, 41, 42, 43.
29. En particulier Jaufré Rudel, *édition Jeanroy, C.F.M.A., Champion, 1965, chansons I et II* ; Peire d'Alvernha, Liriche, *édition A. del Monte, Turin, 1955, I (« Rossinhol, el seu repaire... »)* ; Peire Vidal : Poesie, *édition Avalle, Milan-Naples, 1960, 2 tomes, XXIII, p. 185.*
30. Entre autres Die Lieder des Blondel de Nesles, *Leo Wiese, Dresden, 1904, chanson XVII, p. 154* ; Edition critique des œuvres attribuées au châtelain de Coucy, *A. Lerond, thèse complém., 1963, chanson III, p. 68, chanson V, p. 76, chanson XXII, p. 164* ; Colin Muset, Chansons, *édition Bédier, C.F.M.A., Champion, 1979, III, p. 5, VII, p. 13.* Guillaume le Vinier (édition Ph. Ménard, Genève, Droz, 1983, XVII, p. 137) ne dit pas autre chose (« Mout a mon cuer esjoi/li louseignolz qu'ai oï », v. 1 et 2, et « li dous chans tant m'abeli », v. 12) mais il ajoute au chant du rossignol une signification supplémentaire. L'oiseau qui réjouit le cœur des loyaux amants est aussi celui qui souhaite la mort de leurs ennemis, « trahitour et mesdisant » (v. 7). Voir la note de Ph. Ménard, p. 139. Il semble qu'il y ait là deux symbolismes différents et souvent, chez les poètes, complémentaires.
31. Les Lais de Marie de France, *édition de J. Rychner, C.F.M.A., Champion, 1971*, Laüstic, p. 120, v. 69 à 90.
32. Jean de Condé, La Messe des oiseaux, *édition J. Ribard, Droz, 1970, v. 113 ss.*
33. Chanson V, p. 12, I.

ardeur telle qu'il peut en mourir[34]. Pline insiste non seulement sur la force de la voix dans un si petit corps, mais sur la variété du chant, qualifiant le son qu'il produit de « plenus, gravis, acutus, creber, extentus, ubi visum est, vibrans, summus, medius, imus[35] ». Il continue en affirmant que l'oiseau possède « tout ce que l'art des hommes a su tirer de tant de tuyaux perfectionnés[36] ». N'y a-t-il pas là une définition de l'art commune au poète et à l'oiseau ? Et, s'il est permis d'aller un peu plus loin, la mort métaphorique de Thibaut n'est-elle pas, comme celle du rossignol, beaucoup plus liée à son chant qu'à son amour ?

« Autresi muir en chantant a hauz criz. »

N'est-il pas, lui aussi et toujours comme l'oiseau, en rivalité constante avec ceux qu'il appelle dans la strophe suivante de cette même chanson « li truant » à cause de « leur faus diz » et de « leur faus cuers[37] » ? Et ce qui compte avant tout pour lui, n'est-ce pas, bien plus que la dame pour laquelle il prétend mourir mais à qui semble dévolu un simple rôle d'arbitre, cette chanson qu'il envoie vers les siens, en messagère, chargée de tout son poids d'écriture :

« Chançon, va tost et non pas a enviz
Et salue nostre gent de Champaigne ? » (8, 43-4.)

Certes, ce qui intéresse Thibaut au premier chef, c'est la prééminence de son chant qu'il tente d'assurer grâce au libre choix de ses images et surtout de leur interprétation ; il se démarque souvent de la tradition contemporaine d'une manière ou d'une autre et il affirme son indépendance. Il prend dans tous les livres ce qui lui convient mais modifie leurs leçons pour édifier son œuvre propre. L'amour n'est sans doute plus la substance de la chanson mais il en est encore le prétexte. Si jusqu'ici la *fin'amor* avait nourri le roman courtois des aventures amoureuses, réelles ou imaginaires, que sous-tend la poésie, il semble que maintenant le roman, et même le livre en général, prête à des trouvères comme Thibaut de Champagne des situations, des thèmes, des motifs propres à revivifier le lyrisme et surtout à enrichir la poétique de comparaisons, de métaphores, d'analogies qui suscitent à leur tour, malgré la rigidité obligée des thèmes et de la forme et au-delà de cette rigidité, une écriture d'autant plus personnelle qu'elle doit se plier à nombre d'exigences et ne trouve son expression que dans la marge étroite de liberté qui reste encore. L'inspiration poétique n'est plus située dans le cœur mais dans le livre.

Marie-Noëlle Toury

34. *Livre X, 42, 83 :* « *Certant inter se, palamque animosa contentio est. Victa morte finit saepe vitam spiritu prius deficiente quam cantu.* »
35. Ibid. *82.*
36. *Traduction E. de Saint-Denis.*
37. *V. 11-13. Voir à ce sujet E. Baumgartner, ''Trouvères et losengiers'', in C.C.M., 1982, n°3-4, p. 171-178.*

Le chant du roi, le roi du chant.
L'invention mélodique chez Thibaut de Champagne

Dès la fin du XIIIe siècle, la poésie des trouvères a cessé d'être une pratique orale pour devenir un corpus écrit. C'est sans doute l'apparente homogénéité de ce corpus qui a fait que les chercheurs se sont généralement plus intéressés aux conventions poétiques qu'à l'originalité des auteurs et de leurs œuvres. La musicologie, qui partage ce champ de recherche avec la critique littéraire, a elle aussi pratiqué une approche globale en voulant résoudre par exemple l'épineuse question du rythme[1]. Ce colloque ne va pas dans le même sens puisqu'il nous invite à considérer un seul trouvère, qui, il est vrai, se prête mieux qu'un autre à une telle démarche, non seulement en tant que *genius loci* de cette université, mais bien plus en raison de son extraordinaire réputation auprès des collectionneurs et amateurs de poésie de la fin du XIIIe siècle, pour lesquels il est comme l'incarnation même du chant courtois. Cette appréciation repose sans aucun doute sur sa position au sommet de la hiérarchie sociale, où l'a projeté l'héritage du trône de Pampelune. Le chant du roi est ainsi investi d'une dignité toute particulière, phénomène qui n'est ni banal ni étonnant pour qui sait que l'ordre féodal est comme le moteur de la poésie courtoise. Or, par les analyses musicales qui suivront, je voudrais suggérer que Thibaut de Champagne a exercé sur la tradition du chant courtois une emprise artistique qui a fait de lui, au sens figuré du terme, un roi du chant, c'est-à-dire le premier des trouvères à avoir consciemment manié les ressources de son art dans un but artistique et idéologique à la fois.

Quelle est la tradition musicale courtoise au moment où le jeune Thibaut commence à s'y intéresser ? Pour nous en faire une idée, je choisis la chanson R. 1227 « Quant je plus sui en paor de ma vie » de Blondel de Nesles, de la fin du

1. On consultera à ce sujet l'ouvrage suivant : *Burkhard Kippenberg,* Der Rhythmus im Minnesang — eine Kritik der literar- und musikhistorischen Forschung, *Munich, Beck Verlag, Münchener Texte und Untersuchungen zur deutschen Literatur des Mittelalters 3, 1962. Le musicologue Hendrik van der Werf donne un exposé bref et lucide de tous les aspects de la relation entre poème et mélodie chez les troubadours et trouvères, avec quinze chansons reproduites et commentées et une bibliographie substantielle dans :* The Chansons of the Troubadours and Trouvères, A Study of the Melodies and their Relation to the Poems, *Utrecht, A. Oosthoek, 1972.*

XIIe siècle[2]. Thibaut l'a d'ailleurs connue puisqu'il en utilise la mélodie et la forme strophique pour l'un de ses jeux partis (R. 1097), composé dans les années vingt du XIIIe siècle[3]. Sa forme strophique est un peu particulière en ce sens qu'elle comporte 14 vers de différente longueur, comme le montre le schéma métrique :

A	B	A	B	C	D	E	F	G	H	I	K	L	M
10	10	10	10	10	10	10	3	4	6	10	7	7	7
a'	b	a'	b	b	a'	b	c	c	c	b	a'	b	b

(R. 1227.)

On observe que la suite décasyllabique est interrompue par une série de trois vers de longueur croissante rimant ensemble et que la strophe s'achève sur trois vers de sept syllabes, qui pourraient constituer un refrain. Ces remarques nous aideront à suivre la mélodie[4] :

R. 1227 „Quant je plus sui en paor de ma vie", Z 8r

2. *R* = G. Raynauds Bibliographie des altfranzösischen Liedes, *neu bearbeitet und ergänzt von Hans Spanke, Leyde, E.J. Brill, Musicologica 1, 1955.*
3. *La tradition manuscrite de cette mélodie ainsi que l'emprunt fait par Thibaut et son partenaire (« Messires Guis ») ont été commentés dans le cadre de mon étude : Die musikalische Erscheinungsform der Trouvèrepoesie, Berne, Paul Haupt Verlag, Publications de la Société Suisse de Musicologie II, 27, 1977, pp. 25-30 et 280-284.*
4. *Malheureusement il n'est pas possible d'ajouter à cette publication un document sonore. Le caractère esthétique d'une mélodie dépendant essentiellement de la manière dont elle progresse dans le temps, je maintiendrai les termes de ma présentation qui faisait appel au jugement auditif du public. J'emprunte cette transcription de la version du manuscrit Z (H.X. 36 de la Bibliothèque communale de Sienne) à l'ouvrage cité ci-dessus, p. 346. Cette version est parmi celles qui conservent le mieux la mélodie de Blondel (voir op. cit. p. 28). On trouve une transcription de toutes les versions de la chanson de Blondel et du jeu parti dans : Hendrik van der Werf,* Trouvères - Melodien I, *Cassel, Bärenreiter, Monumenta Monodica Medii Aevi XI, 1977, pp. 60-85. Toutes les mélodies de Thibaut sont transcrites dans :* Trouvères - Melodien II, *Cassel, Bärenreiter, Monumenta Monodica Medii Aevi XII, 1979.*

11. puis ke par moi sui de ioie es- lon- gies.

12. ie ne men doi plain- dre mi- e

13. com- ment kaie. es- te i- ries dou- ce- ment sui en- gi- gnies.

Cette mélodie est en deux parties, la première étant constituée de deux fois deux vers dont la ligne musicale se répète. En désignant chaque vers musical par une lettre majuscule, on voit mieux que la forme musicale de cette première partie est solidaire de l'ordre des rimes. Dante (dans le *"De vulgari eloquentia"*) appelle cette première partie de la forme-chanson le « front » (*frons*), ses deux composantes sont appelées « pied » (*pes*). La deuxième partie, que Dante appelle « *cauda* », paraît ici démesurée par rapport à la première, mais elle ne déroute nullement l'auditeur, bien qu'on n'y trouve aucune répétition assurant le découpage de la chaîne musicale en groupes ou sous-groupes (comme c'est le cas dans la première partie). C'est la ligne musicale à elle seule qui énonce au fur et à mesure le sens formel de son apparition : les vers 5 et 6 n'apportent pas d'évolution nouvelle puisqu'ils descendent tous les deux, chacun à sa manière, du *sol* vers le *do* ; le vers 7 commence comme les deux précédents par *sol*, mais monte brusquement vers le *do* supérieur et apporte vers la fin une modulation tonale qui produit l'effet d'un point d'interrogation et fait désirer la suite :

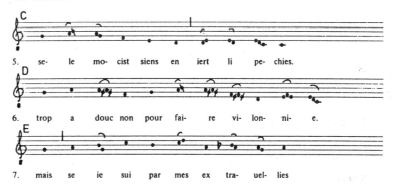

5. se- le mo- cist siens en iert li pe- chies.

6. trop a douc non pour fai- re vi- lon- ni- e.

7. mais se ie sui par mes ex tra- uel- lies

Cette suite, ce sont justement les trois vers brefs qui accé-
lèrent le mouvement, mais vont s'amortir dans le vers 11,
de nouveau un décasyllabe dans la tonalité du début :

Les trois derniers vers forment alors un contraste avec ce
qui précède, autant par leur mètre (sept syllabes) que par
leur style musical syllabique ; c'est un pseudo-refrain avec
une sorte de vers préparatif :

On peut dire que le sens de cette mélodie s'établit progressivement par le fait que chaque enchaînement, d'une syllabe
à l'autre, d'un vers à l'autre, est cohérent ; chaque élément
s'intègre sans heurt dans le processus de la déclaration dont
le chanteur paraît être serviteur et maître à la fois : serviteur parce qu'il reste fidèle à la ligne et aux enchaînements
donnés, maître parce qu'il met en relief le détail, parce qu'il
accélère ou retarde le mouvement, parce qu'il choisit la place
et la forme des ornements.

Si l'on veut rattacher ces éléments esthétiques au rôle social
et à l'éthique de la poésie courtoise, on peut dire que le chanteur se présente comme responsable aussi bien de son désar-
roi amoureux que du déroulement de sa déclamation qui
en est l'aveu. La chanson devient ainsi ce lieu commun où
chaque membre de la société courtoise trouve l'occasion
de s'identifier à un idéal social d'intégration, celui de l'adhésion à une éthique individualiste comme critère essentiel
de l'appartenance à la classe chevaleresque.

Thibaut de Champagne commence à pratiquer « l'art de trouver » une à deux générations après Blondel de Nesles. L'amour courtois est toujours le sujet principal de la poésie et il n'a, de l'avis des connaisseurs, subi aucune modification. Comment Thibaut va-t-il le chanter ? La chanson que nous choisissons pour une analyse musicale comparative est R. 711 « Tant ai Amours servies longuement », vraisemblablement de la fin de la carrière de Thibaut. Cette chanson est bien plus simple que celle de Blondel : huit décasyllabes y forment une unité bien circonscrite par des rimes, croisées d'abord, embrassées par la suite. Ecoutons la mélodie[5] :

R. 711 „Tant ai Amours servies longuement", Z 2v

1. Tant ai a- mours ser- ui- e lon- ge- ment

2. ke des or mais ne men doit nus re- pren- dre.

3. se ie men part or a dieu les com- mant.

4. on ne doit pas tous iours fo- lie em- pren- dre.

5. & cil est faus ki ne si set def- fen- dre.

6. ne ni cou- noist son mal ne son tour- ment.

5. Voir op. cit. (note 3), notamment p. 158 (versions manuscrites) et 286-290 (style musical). Ma transcription de la version Z est empruntée au même ouvrage, p. 350.

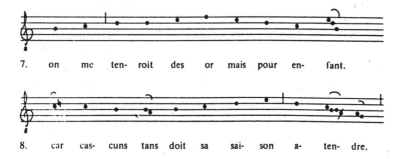

7. on me ten- roit des or mais pour en- fant.

8. car cas- cuns tans doit sa sai- son a- ten- dre.

Comme les contemporains de Thibaut, nous nous attendions à une forme bipartite, avec une première partie faite de deux fois deux vers et une mélodie répétée. Le roi, cette fois-ci, ne nous déçoit pas : la ligne musicale B répond à A, la finale *sol* est mise en évidence et le tout est répété :

A   B   A   B
10 10 10 10 ...
a   b' a   b'

Essayons maintenant d'identifier une structure dans la *cauda* (vers mélodiques 5 à 8). On peut reconnaître spontanément une correspondance entre les vers 5 et 7 ainsi qu'entre 6 et 8 ; elle est très nette dans la première moitié des vers, mais s'estompe ensuite :

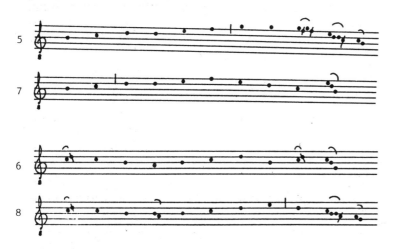

La forme de la chanson serait alors des plus symétriques :

```
A   B   A   B   C   D   C'  D'
10  10  10  10  10  10  10  10
a   b'  a   b'  b'  a   a   b'
```

Mais les données métriques ne se plient pas à cette idée formelle. Il y a rime et cadence musicale féminines aux vers 5 et 8, rime et cadence masculines aux vers 6 et 7. Le compositeur a d'ailleurs insisté sur l'identité des cadences en leur donnant exactement la même configuration musicale :

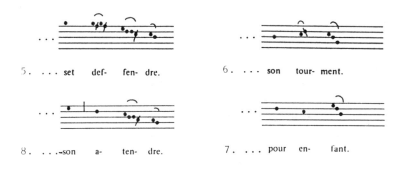

5. . . . set def- fen- dre.   6. . . . son tour- ment.

8. . . .-son a- ten- dre.   7. . . . pour en- fant.

Ainsi la ligne mélodique suggère une forme que les cadences contredisent et inversement. Il en résulte une indécision formelle, un élément d'instabilité qui empêche l'auditeur d'y reconnaître un schéma. Or, c'est le schéma qui permettrait de projeter la progression dans la simultanéité. Cette instabilité est d'ailleurs renforcée par l'invention mélodique elle-même : le roi préfère les lignes neutres de la récitation (cf. les vers 5, 6, 7, 8), il place les ornements presque exclusivement à la cadence (où ils n'étonnent personne), il affectionne une tonalité sans relief.

Comment interpréter ces éléments esthétiques ? La contradiction des niveaux de composition indique une conscience artistique pour laquelle les éléments esthétiques sont devenus disponibles, après avoir été naturellement solidaires auparavant, comme ce fut le cas chez Blondel de Nesles. Mais Thibaut n'utilise pas cette conscience technique pour se donner un air de virtuose ; il en profite au contraire pour faire en sorte que toute forme paraisse suspendue. Cet artifice rejoint en partie l'effet esthétique du style de Blondel et de sa génération dont nous avons dit qu'il est entièrement processus, progression et non schéma symétrique et simultané. Thibaut reconnaît dans la liberté relative de l'ancien style, née des exigences déclamatoires, une valeur de symbole de la société chevaleresque naissante, valeur à conserver au moment où cette société s'est refermée sur elle-même, laissant l'initiative à une classe nouvelle dont la fierté ne sera pas le château, mais l'hôtel de ville.

Ces conclusions sont évidemment trop vastes pour être fondées sur ces brèves observations stylistiques. Je les considère plutôt comme des hypothèses qu'il faudrait vérifier. J'ai toutefois fait un essai dans ce sens en étudiant l'attitude de Thibaut envers la forme problématique de l'*Oda continua*, ce type mélodique ancien, à l'honneur chez les troubadours et quelques trouvères et dont le critère essentiel est l'absence de toute répétition musicale déclarée[6]. A un moment où la tendance artistique va s'acheminer vers des formes poétiques fixes, des montages de refrains, des rythmes de danse autonomes, le roi Thibaut neutralise les répétitions de ses mélodies structurées et dans les formes sans schéma déclaré, il cache des allusions répétitives pour dérouter l'auditeur.

Thibaut cherche à obtenir un effet esthétique tandis que Blondel ne faisait que remplir son rôle de médiateur. Mais plus le roi se met ainsi au service de l'esthétique du chant courtois, plus il en devient le maître, plus il règne sur l'art comme il règne sur ses terres. Il serait, dans mon interprétation, l'artisan du retour de la poésie courtoise sur elle-même, celui chez qui le couple dialectique de la fonction et de la forme se renverse, la forme prenant désormais le dessus sur la fonction. Ainsi, malgré lui, le roi innove précisément là où il veut restaurer.

Hans-Herbert S. Räkel

6. *Hans-Herbert S. Räkel, "Höfische Strophenkunst"*, Zeitschrift für deutsches Altertum und deutsche Literatur, *CXI, 1982, 193-219. Cet article poursuit les recherches de Silvia Ranawake*, Höfische Strophenkunst - Vergleichende Untersuchungen zur Formentypologie von Minnesang und Trouverelied an der Wende zum Spätmittelalter, *Munich, Beck Verlag, Münchener Texte und Untersuchungen zur deutschen Literatur des Mittelalters 51, 1976.*

Le dieu d'Amour, figure poétique du trouble et du désir dans les poésies de Thibaut de Champagne

Faut-il dire le dieu d'Amour ou la déesse d'Amour ? On pourrait hésiter. En ancien français l'amour est toujours du genre féminin, hormis exceptions rarissimes. Dans les poésies de Thibaut de Champagne le personnage d'Amour est désigné par le pronom personnel féminin *ele* :

« Amors me fet commencier
Une chançon nouvele,
Qu'ele me veut enseignier
A amer la plus bele... (15, 1-4.)

Toutefois, il semble préférable de suivre l'usage moderne. Comme l'amour est devenu un mot masculin, on parlera ici du dieu d'Amour. Cette dénomination évitera toute confusion avec Vénus, la déesse d'amour. En faveur de cette appellation masculine on pourrait, d'ailleurs, invoquer les représentations figurées médiévales : dans les miniatures l'Amour a un aspect et une tenue d'homme[1].

A n'en pas douter, le dieu d'Amour tient une place considérable dans l'œuvre de Thibaut. Il apparaît quasiment dans toutes les chansons d'amour. On relève une centaine de passages où il est fait mention de lui[2]. Si l'on voulait étudier complètement le personnage du dieu d'Amour, il faudrait examiner les mentions faites chez les devanciers du poète et notamment Gace Brulé, qui y fait fréquemment référence. Il faudrait partir de la lyrique d'oc. Il faudrait aussi distinguer avec soin ce qui est dit de la Dame et ce qui est dit de l'Amour, car les deux personnages ont partie liée. Il faudrait enfin remonter aux temps antiques pour comprendre comment le dieu d'Amour s'est peu à peu substitué à Vénus et pour tenter de saisir les rêves divers qui se sont incarnés dans cette figure. Il est sûr, en effet, qu'à travers les siècles le dieu n'a pas traduit les mêmes aspirations. Mais ce serait

1. *Voir, par exemple, le ms. fr. 1954 de la B.N. de Paris, f. D. (Poésies de Guillaume de Machaut). Reproduction dans F. Avril, l'Enluminure à la cour de France au XIVe siècle, Paris, éd. du Chêne, 1978, p. 99, planche 30. Cf. ci-dessus, p. 24.*
2. *On notera que le dieu Amour est absent des pièces étrangères à l'inspiration courtoise, comme les pastourelles, les chansons de croisade et les poésies religieuses.*

là un vrai sujet de thèse qui sortirait des limites de ce travail. On se contentera ici de poser les grandes questions, de montrer que le dieu est un héritage de l'Antiquité, mais représente aussi une création médiévale. On essayera de comprendre les raisons complexes pour lesquelles les poètes courtois ont fait un sort particulier à cette figure. Mais il ne sera pas possible d'examiner les représentations du dieu d'Amour dans l'iconographie médiévale.

Sur l'histoire d'Eros dans l'Antiquité il y aurait beaucoup à dire. Des temps archaïques à l'époque alexandrine la représentation qui en est faite a beaucoup évolué. On voit apparaître, d'abord, un dieu primitif, sorti du chaos, qui assure la continuité des espèces. Chez Platon sa figure se transforme. Il devient un démon, fils de Poros, l'expédient, et de Penia, la pauvreté. Il incarne le désir, inquiet et insatisfait. A l'époque alexandrine Eros est un enfant ailé dont les torches et les flèches blessent les mortels[3].

Du dieu païen le Moyen Age a-t-il conservé l'essentiel ? Dans sa belle étude sur *L'Amour aveugle* Erwin Panofsky a soutenu que le petit Cupidon païen avait été remplacé au Moyen Age par une autre figure, celle de l'Amour exalté et glorifié[4]. Il faudrait apporter quelques retouches à cette affirmation. Dans l'Antiquité le dieu d'Amour se présente comme une force irrésistible. *Amor omnia vincit* est une devise tirée de Virgile (*Eglogues*, X, 6), très répandue au Moyen Age et à la Renaissance[5]. Le thème de l'Amour vainqueur se rencontre partout. A s'en tenir à Thibaut, plusieurs fois le poète évoque l'universelle domination de l'Amour :

« Amour qui a povoir
Sor toutes gens. » (45, 1.)

Il déclare :

« Mout est Amors de merveilleus povoir. » (20, 33.)

Le dieu qui fait souffrir est aussi un lieu commun de la littérature antique. Les images de l'arc et des flèches d'Amour représentent d'une manière concrète les *vulnera amoris*, tout en suggérant aussi la naissance soudaine de l'amour. Pour les poètes antiques l'Amour blesse toujours et nul ne peut en guérir. Properce l'a dit dans ses *Elégies* (II, 398). La mention des souffrances amoureuses est également constante dans la tradition courtoise. Thibaut de Champagne ne cache pas que le dieu d'Amour fait *doloir* (12, 37). Même si l'image de l'arc et des flèches n'apparaît pas véritablement

3. *Voir Daremberg et Saglio*, Dictionnaire des antiquités grecques et romaines, *Paris, 1877, t. I, 2, p. 1595 ; Pauly-Wisowa,* Realencyclopaedie der klassischen Altertumswissenschaft, *Stuttgart, t. VI, 1902, c. 484 ; O. Schmitt,* Reallexikon zur deutschen Kunstgeschichte, *Stuttgart, t. I, 1937, pp. 642-651. A titre d'exemple, on se rappellera le beau passage de* Daphnis et Chloé, *où Longus fait parler le dieu. « Pour moi, Philétas, dit-il, je ne te refuserai pas un baiser, car je désire plus les baisers que toi tes jeunes années ; mais vois si c'est là, pour toi, un présent qui convienne à ton âge. Car ta vieillesse ne t'empêchera pas de vouloir me poursuivre, après ce baiser unique. Or je suis difficile à attraper, même pour l'épervier, pour un aigle ou pour un oiseau encore plus rapide. Car je ne suis pas un enfant, même si j'ai l'air d'un enfant : je suis plus vieux que Cronos et même que le temps tout entier. Je sais que, tout jeune, tu faisais paître, là-bas, sur la colline, un grand troupeau de bœufs ; j'étais avec toi quand tu jouais de la syrinx auprès des bêtes que tu vois, lorsque tu étais amoureux d'Amaryllis ; mais tu ne me voyais pas, bien que je fusse tout près de la jeune fille. Je te l'ai donnée, et maintenant tu as des enfants qui sont de bons bouviers et de bons laboureurs. C'est maintenant Daphnis et Chloé, dont je suis le berger ; et lorsque le matin je les ai réunis, je viens dans ton verger, je prends plaisir à tes fleurs et à tes arbres et je me baigne dans ces sources. C'est pour cela que tes fleurs et tes arbres sont beaux, parce qu'ils sont arrosés avec l'eau de mon bain. Regarde s'il y a une de tes branches qui soit brisée, s'il y a un fruit qui soit cueilli, un pied de fleur qui soit foulé, une source qui soit troublée, et sois heureux, toi qui, seul entre les hommes, as vu dans ta vieillesse l'enfant que je suis. »*
4. *Voir E. Panofsky,* Essais d'iconologie, *Paris, Gallimard, 1967, p. 155.*
5. *Voir Guy de Tervarent,* Attributs et symboles dans l'art profane (1450-1600), *Genève, Droz, 1958, p. 18.*

dans son œuvre, on peut estimer qu'il y est peut-être fait allusion dans les vers suivants :

« Trop par sont si coup pesant.
Plus tret souvent que Turs ne Arrabiz. » (5, 32.)

On pourrait aussi faire remonter à l'Antiquité l'idée que l'amour est une passion dévorante qui ne cesse de tourmenter ceux dont elle s'est emparée. Le dieu Amour ne laisse pas de répit à l'Amant. Il le poursuit, le talonne, l'attaque sans trêve. Thibaut de Champagne use de termes semblables. Il est question chez lui d'*enchaucier* :

« Quant plus m'enchauce Amors, et mains la fui. »
(3, 25.)

Il est fait mention de lancer des attaques :

« Mainz durs assauz m'avra Amors bastiz. » (5, 42.)

Ou encore le poète nous dit qu'Amour le presse : « me va Amors hastant » (14, 27). Même s'il n'y a pas des sources directes qu'on puisse invoquer, ce vocabulaire et cette représentation de l'amour appartiennent à la culture classique de l'Occident médiéval. Il est légitime d'y voir un héritage antique. Si l'on regardait les représentations de l'Amour dans les arts figurés du Moyen Age (miniatures, peintures, sculptures), on en trouverait beaucoup d'exemples[6]. Une indiscutable continuité est sensible sur ce point entre les conceptions et les images des poètes classiques et celles des poètes du Moyen Age.

Toutefois, une première différence est visible. Les hommes du Moyen Age, qui ont beaucoup aimé les allégories, utilisent aussi le dieu Amour comme une figure allégorique, comme une abstraction personnifiée, comme un sentiment doté d'une personnalité et d'une existence fictives. L'emploi de cette figure relève de la rhétorique. Amour me prie de chanter, nous dit Thibaut de Champagne :

« Amors me fet commencier
Une chançon nouvele. » (15, 1.)

Ouverture traditionnelle dans la poésie courtoise et habile façon d'introduire un texte.

A la question de savoir pourquoi Thibaut et les poètes courtois usent d'abstractions personnifiées, tel le dieu Amour, il faut apporter des réponses nuancées. L'allégorie, comme nous disons aujourd'hui, remplit plusieurs fonctions. Elle sert, d'abord, à animer le récit. En mettant en scène le dieu d'Amour, les poètes ajoutent un personnage supplémentaire

6. Voir R. Koechlin, *''Le dieu d'amour et le château d'amour sur les valves de boîtes à miroirs''*, Gazette des Beaux-Arts, série 2, t. 63, 1921, pp. 279-297 ; R. Kœchlin, Les Ivoires gothiques français, Paris, 1924, n° 1068, 1071, 1077, etc. ; F. Saxl, Catalogue of Astrological and Mythological Illuminated Manuscripts of the Latin Middle Ages, t. III, Manuscripts in English Libraries by F. Saxl and H. Meier, London, Warburg Institute, 1953, passim (par ex. planche XVI). Je n'ai pu consulter Heinrich Kohlaussen, Minnekätschen im Mittelalter, Berlin, 1928. Pour la littérature on peut consulter F. Wickhoff, *''Die Gestalt Amors in der Phantasie des italienischen Mittelalters''*, Jahrbuch der königlich-preussischen Kunstsammlungen, t. XI, 1890, pp. 41-53 ; E. Wechssler, *''Eros und Minne''*, Vorträge der Bibliothek Warburg, 1921-22, pp. 69-93. Je n'ai pas pu utiliser la dissertation de D. Ruhe, ''Amor'' in den altromanischen Minneallegorien, Diss. Konstanz, 1969.

aux deux protagonistes de toute histoire amoureuse, Elle et Lui. Le dieu d'Amour joue un rôle dynamique dans les textes lyriques. Bien qu'il parle peu, il est au centre de l'action. Il est sans cesse présent, sans cesse interpellé par le poète. Il semble le maître du jeu, un maître capricieux qui se rit des mortels et se divertit de leurs désagréments. On y retrouve en partie le dieu inconstant et trompeur du monde antique. Dans l'*Octavia* de Sénèque, Cupido est qualifié de « levis fallax deus » (195). Mais surtout pour les écrivains du Moyen Age, avec l'intervention du dieu Amour, la présentation des tensions et des inquiétudes de la vie amoureuse devient plus vive et plus piquante.

Cette mise en scène est pour une part un jeu. Les poètes peuvent se livrer à des exercices de virtuosité, voire de préciosité. Dans le *Roman de la Rose* de Guillaume de Lorris, l'amant demande, par exemple, à l'Amour de mettre une serrure à son cœur, de la fermer à clé et d'emporter la clé (éd. Lecoy, v. 1989-1991). Thibaut de Champagne invente que le dieu d'Amour détient la clé de la prison où se trouve son cœur (34, 19). On pourrait soutenir que l'emploi de l'allégorie est parfois un moyen pour le poète de faire valoir son ingéniosité, une façon de briller, de satisfaire à la fois son désir d'artifice et son sens de l'humour. Un certain sourire se laisse entrevoir dans la mise en œuvre constante du dieu d'Amour. Plus encore une esthétique précieuse.

Le dieu d'Amour n'est pas seulement un ornement. Sa présence confère aussi aux aventures amoureuses un aspect exemplaire. L'intervention de l'Amour personnifié donne de la dignité et de la grandeur à une histoire qui pourrait passer pour subjective. L'abstraction fait disparaître diversité et subjectivité. Elle nous transporte dans l'intemporel, au plan des essences. En même temps, en faisant agir ce personnage troublant et supérieur qu'est le dieu d'Amour, les écrivains du Moyen Age suggèrent que l'apparence sensible des choses n'épuise pas le réel. Même si le dieu nous paraît capricieux et inquiétant, nous devinons qu'au-delà des expériences individuelles existent des forces cachées qui mènent le monde. Pour les sensibilités médiévales l'homme ne vit pas dans un monde positif livré au hasard et à la nécessité. Il doit affronter aussi des puissances surnaturelles. Thibaut de Champagne parle à l'Amour, il l'implore : « Amors merci ! » (11, 27). Il le supplie (18, 14). Il le blâme (49, 28). Par là il suggère que des forces obscures, mais toutes puissantes interviennent dans la vie des hommes.

Mais il faut aller plus loin. Le dieu d'Amour, qui apparaît tant dans les poésies de Thibaut et dans la littérature courtoise, est une divinité nouvelle, une divinité tout à fait médiévale, chargée de traduire la glorification de l'amour. Dans son étude sur *The Allegory of Love*, C.S. Lewis a justement remarqué que dans la littérature courtoise, Vénus, qui représentait l'instinct sexuel, s'efface au profit du dieu d'Amour, incarnation du sentiment raffiné[7]. A la place de Vénus, on voit l'Amour couronné, l'Amour promu à la plus haute place de la hiérarchie. Nul hasard à cela. E. Panofsky a bien senti que l'aspect princier et le front couronné des représentations médiévales du dieu Amour démontrent le caractère éminent et transcendant de l'amour[8]. Cette entité supérieure incarne bien l'amour courtois, considéré comme un absolu, comme le bien suprême, comme la valeur fondamentale. Il vient visiter le poète pendant la nuit à la façon d'une apparition céleste (48, 4). Il prescrit des règles de conduite. Il parle à l'impératif. Compte tenu de l'extrême exaltation du sentiment amoureux dans la vision courtoise, il n'y a rien de surprenant à ce que le poète conseille une fidélité et une obéissance scrupuleuse aux disciples de l'Amour : « Nus ne doit Amors traïr » (17, 10). Il est clairement rappelé que le dieu Amour donne à ses fidèles un ennoblissement considérable. « Amors fet bien un honme melz valoir » (27, 8), nous dit le poète. L'idée selon laquelle l'amour est une source de perfectionnement intérieur et d'élévation morale est classique dans la littérature courtoise. Le dieu d'Amour se trouve forcément à la source de cette ascension. C'est lui qui procure du mérite à l'homme par les efforts qu'il suscite, par les exigences qui sont siennes. Autrement dit, le recours au personnage du dieu Amour est une façon tout à fait naturelle de glorifier le sentiment amoureux au sein de l'idéologie courtoise.

Au plan grammatical la personnification de l'amour, la transformation du sentiment en une entité animée et indépendante se marquent par l'absence d'article et de qualificatifs. Un nom propre n'a pas d'article. Il ne souffre pas de déterminants qui restreindraient son autonomie et limiteraient son identité en le confondant avec d'autres. Il en va ainsi dans la syntaxe médiévale : « Amors le veut » (9, 21). Dans son article *D'amors, par amors* Jean Frappier a suggéré que la présence surprenante du -s final au cas régime tient au

7. *Je cite, non d'après l'éd. originale de 1936, mais d'après la trad. italienne,* L'allegoria d'amore, *Torino, Einaudi, 1969, p. 116.*
8. Op. cit., *pp. 156-159.*

fait qu'à l'origine on a fait référence ainsi au dieu d'Amour[9]. Ensuite cet usage se serait étendu à quelques expressions. L'explication est tout à fait vraisemblable. En effet, lorsqu'il est question du dieu d'Amour chez Thibaut de Champagne, au cas régime le *-s* final est constant :

« On ne doit pas seigneur servise vendre
Ne vers Amors mesdire ne mesprendre. » (9, 12.)

Aujourd'hui dans la langue moderne nous ajoutons une majuscule. C'est elle qui nous sert de signe patent de personnification. Au Moyen Age où la majuscule est inconnue, on devine l'utilité d'un signe graphique spécial, le *-s* final au cas régime, pour distinguer le nom propre Amour et le nom commun amour.

Des difficultés d'interprétation apparaissent toutefois çà et là. Généralement le dieu Amour se rencontre sans article, sans qualificatif et toujours pourvu d'un *-s* final. Or à trois reprises le terme de *fine Amor* au cas sujet (15, 23 et 19, 3) ou au cas régime (49, 56) se présente. Comment l'interpréter ? S'agit-il du sentiment ou du dieu ? Les contextes et la présence répétée du dieu Amour dans les trois poésies obligent à voir partout la personnification. Malgré l'éditeur Wallensköld, il faut lire « Quant fine Amor me semont » (15, 23). De même, il faut entendre que l'Amour personnifié intervient peu après :

« Li douz penser et li douz souvenir
M'i font mon cuer esprendre de chanter,
Et fine Amor, qui ne m'i let durer,
Qui fet les siens en joie maintenir
Et met es cuers la douce remenbrance. » (19, 1-6.)

Un peu plus loin, dans un débat entre Thibaut et Philippe de Nanteuil, alors que Thibaut s'en prend à Amour, Philippe lui fait confiance et déclare « A fine Amor m'otroi » (49, 56). A nouveau les mentions répétées du dieu Amour à chaque strophe nous empêchent de voir ici le simple sentiment. On a bien affaire à la divinité, malgré la présence de l'adjectif *fine*. L'apparition d'un qualificatif entraîne seulement la disparition du *-s* final. Les observations faites par J. Frappier sur l'usage du *-s* en sont confirmées : le *-s* final n'apparaît pas si le substantif est accompagné d'un article ou d'un adjectif, autrement dit d'un déterminant. Le seul point difficile à trancher est de savoir s'il faut une majuscule ou non à *fine* dans *fine Amor*. Il semble préférable de ne pas isoler un concept de *Fine Amor* personnifié. On considère donc

9. J. Frappier, ''D'amors, par amors'', Romania, *t. 88, 1967, pp. 473-474, réimprimé dans* Amour courtois et Table Ronde, *Genève, Droz, 1973, pp. 97-128. Voir pp. 115-116.*

70

ici le dieu Amour comme pourvu d'un adjectif qui signale la perfection de son essence.

Un problème de grammaire plus délicat se rencontre dans le passage suivant :

« Tant ai amors servies longuement
Que des or mes ne m'en doit nus reprendre
Se je m'en part. Ore a Dieu les conmant,
Qu'en ne doit pas touz jours folie enprendre ! »

(9, 1-4.)

Wallensköld a imprimé ici *amors* avec une minuscule. A ses yeux le pluriel empêche de croire à une personnification de l'amour, comme l'éditeur l'indique en note. Malheureusement, toute la suite du texte montre clairement qu'il s'agit du dieu Amour : le personnage apparaît dans la plupart des strophes de la poésie. Jean Frappier a bien compris qu'il s'agissait de l'amour personnifié, mais il a proposé de corriger le texte et de supprimer le pluriel[10]. L'argumentation présentée et les exemples invoqués ne manquent pas d'intérêt. Toutefois le texte original est certainement ici *servies* et *les* au pluriel : sur dix-sept manuscrits seulement huit ont *servie* et tout juste trois le singulier *le*. S'agit-il d'une erreur, comme l'estime J. Frappier, ou d'un emploi du pluriel poétique ou d'un pluriel de majesté à valeur du singulier comme je serais tenté de le croire ? On connaît en ancien français des emplois du nom commun *amors* au pluriel avec valeur de singulier. Il pourrait y avoir ici un phénomène semblable. En tout cas, il ne semble pas permis de corriger le texte. Malgré le pluriel, il est question d'un singulier : la personne du dieu d'Amour.

L'emploi de la figure du dieu d'Amour dans les textes lyriques s'explique aussi pour des raisons psychologiques. L'Amour est souvent à identifier à la Dame aimée. La confusion est toute naturelle en raison du genre féminin du mot *amour* en ancien français. Une ambiguïté fondamentale affecte le terme *Amour*. Dans quelques cas, assez rares, il est impossible de confondre le dieu d'Amour et la Dame. Les deux personnages sont nettement distingués dans le vers suivant :

« Amors me het et ma Dame m'oublie. » (20, 18.)

Mais dans un grand nombre d'exemples, soit dépréciatifs, soit plaintifs et suppliants, on a l'impression que le poète s'adresse indirectement à sa Dame. Il prête à un personnage fictif les sentiments et le comportement de la *Domina*, de

10. Art. cit., pp. 119-120.

la Belle Dame sans *merci*. Ainsi le poète déclare que l'Amour le maltraite, le traite orgueilleusement : « trop me maine orgueil » (11, 38). Il trouve que le dieu Amour est pour lui malveillant, hostile, ingrat. Il qualifie l'Amour de « forsenee » (49, 28), de « tricheresse » (49, 30). Il proteste, il se plaint, il lance des récriminations. Il ne veut plus fréquenter l'Amour. Il en est lassé. Il est bien évident que seule la conduite de la Dame explique les protestations et les réactions de l'Amant. Mais en feignant de dénoncer l'action de l'Amour, en rendant l'Amour responsable de ses souffrances, le poète évite de mettre en cause sa Dame. Il l'épargne délicatement. Il ne serait guère plaisant à la Dame d'entendre répéter en permanence qu'elle est trompeuse, infidèle, injuste. Il ne lui serait guère agréable de se voir comparée au Diable. Aussi le poète mentionne l'Amour :

« Amors semble deable qui maistrie :
Plus engigne celui qu'en li se fie. » (30, 5.)

La Dame serait fâchée d'entendre que le soupirant veut la quitter. Le poète use d'un ton moins agressif lorsqu'il parle de l'Amour :

« Je me cuidoie partir
D'Amors, mes riens ne me vaut. » (17, 1.)

En mettant en scène la figure de l'Amour, le poète adoucit, estompe, masque les critiques qu'il aurait pu adresser à la Dame. Il va même plus loin en imputant les rigueurs, la versatilité, la cruauté au dieu d'Amour : il excuse la Dame. D'autre part, la déclaration, les plaintes, les supplications s'expriment plus facilement lorsqu'elles s'adressent à un personnage fictif qu'à un être réel. Si le poète parlait directement à la femme aimée, il pourrait y avoir un blocage psychologique, à tout le moins une certaine gêne. La figure du dieu d'Amour facilite les épanchements. C'est pourquoi on doit estimer que l'Amour personnifié est assez souvent un substitut de la Dame.

Il faut encore faire un pas de plus pour comprendre au plan psychologique l'intérêt de cette figure de l'Amour dans la poésie des trouvères. La mention du dieu d'Amour permet au poète de parler de lui-même, de se justifier, d'exprimer ses inquiétudes ou ses souffrances, de traduire ses espérances. En présentant le pouvoir et la domination du dieu d'Amour, il suggère qu'il n'est pas responsable de ses malheurs. Nul n'est en droit de l'accuser. Qui pourrait résister aux assauts de l'Amour ? Le comportement du poète se comprend mieux : il sert un prince féodal. La grande nouveauté médiévale dans la peinture du dieu d'Amour est de faire du personnage un suzerain et de l'amant un vassal. L'insertion des relations amoureuses dans un contexte féodal apporte des arguments au soupirant. Il se dépeint comme un vassal maltraité ou non récompensé, alors qu'il a fidèlement et loyalement servi son seigneur. De cette situation il tire argument pour justifier sa conduite, protester contre l'ingratitude du suzerain et espérer un avenir meilleur. Il se persuade que l'Amour finira par récompenser (« guerredon rendre » dit Thibaut dans la pièce 12, vers 38) ceux qui acceptent de patienter et de servir comme il le faut. Bien qu'il n'ait pas été traité favorablement par sa Dame, le poète se sert de la figure du dieu d'Amour pour dire qu'il recevra dans l'avenir les récompenses attendues (38, 30). Autrement dit, cette figure fictive permet au poète d'exprimer son espoir et de dire ce qu'il a sur le cœur. L'Amant ne se sent pas seul face à sa Dame. Il s'adresse à un intermédiaire tout puissant, énigmatique il est vrai, mais qui ne sera peut-être pas toujours hostile. Comment persécuterait-il toujours celui auquel il ordonne d'aimer (9, 21) ?

Pour conclure, on peut véritablement parler de la complexité de la figure médiévale du dieu d'Amour dans la lyrique courtoise. A n'en pas douter, le personnage remonte à la mythologie antique. Il conserve quelques traits de Cupido : la toute-puissance, l'inconstance, la production d'obsessions et de souffrances. Quelques images anciennes ont survécu, comme celle de l'arc et les flèches. Mais des innovations importantes donnent un caractère original à la création médiévale. Amour n'est plus le jeune enfant au service de Vénus. Il a pris de l'âge et de l'autorité. Il est devenu un suzerain, un roi. Il conserve ses ailes dans les miniatures, pour montrer son origine surnaturelle, mais il porte couronne. Il a complètement remplacé Vénus, tout à fait absente des poésies de Thibaut. Au dieu d'Amour est prêté le pouvoir de commandement du suzerain dans la société médiévale.

On parle de sa « seignorie » (9, 28), du service qui lui est dû (12, 40), des coups qu'il porte (le vocabulaire, assez vague d'ailleurs, de l'hostilité et de l'agression n'est pas rare). On comprend qu'il a le pouvoir de jeter en « prison » (32, 18). Tout cela est franchement nouveau par rapport aux représentations antiques. Même dans le détail il ne serait pas difficile de citer des images inconnues d'Ovide ou des élégiaques latins : ainsi celle des dards lancés par Amour (4, 13 et 24, 7) remplace la vision classique de l'arc et des flèches. Ou encore la métaphore de la prison d'amour que l'amoureux refuse de quitter, même au prix d'une rançon (2, 15) ou bien celle de l'hôpital d'amour (6, 21), c'est-à-dire de l'établissement charitable où l'on reçoit les malheureux.

Le personnage donne incontestablement de la grandeur aux aventures amoureuses évoquées. Il fait disparaître une partie du caractère subjectif et instable de l'amour, puisque le sentiment n'est plus lié seulement à la personne de l'amant. L'amour paraît une réalité extérieure, qui relève des grandes forces de la nature, des grandes lois qui mènent le monde. L'amour personnel s'inscrit dans un cadre cosmique. Il doit obéir à des règles. Quand le poète écrit que l'Amour exige ceci ou ordonne cela, il n'est pas question de se dérober. L'amour se vit dans un milieu où un certain ordre se fait jour. Instauration d'un code de conduite, tel est le premier résultat de l'action du dieu d'Amour. On pourrait même soutenir que la figure allégorique n'est qu'un moyen visant à promouvoir un certain nombre de règles morales dans les relations amoureuses. Le personnage allégorique permet aussi une glorification de l'amour, qui devient une puissance souveraine, impérieuse, d'extraction princière, de nature surnaturelle, pourvue de droits régaliens.

Mais cette figure poétique est pour l'écrivain un subtil outil pour exprimer son propre moi. Elle lui permet de traduire commodément les sentiments qu'il éprouve et qu'il n'oserait peut-être pas formuler par pudeur ou par appréhension. On devine parfois qu'en parlant à l'Amour il s'adresse à sa Dame. L'Amour est une figure de substitution qui permet d'excuser ou d'accuser la Dame et aussi de déclarer et d'ouvrir son cœur. Dans certaines pièces la Dame est absente : il n'est question que de l'Amour. Dans d'autres un glissement s'opère : une strophe interpelle l'Amour, une autre la Dame (32, 13-30). D'une manière générale, qu'il s'agisse de voiler ou de signaler indirectement les rigueurs de la Dame, de tenter de la fléchir ou de confesser ses aspirations, l'intervention du dieu Amour tient lieu de médiation dans la dialectique amoureuse. Ce dieu d'Amour est-il, en fin de compte, favorable ou nuisible pour l'Amant ? Est-il une figure positive ou négative ? Les débats menés entre le poète et un confrère ou entre le poète et l'Amour montrent qu'il y a une hésitation profonde sur la nature exacte de l'amour. Le jugement porté sur l'Amour est forcément contrasté : l'insatisfaction présente s'oppose au bonheur rêvé. L'espoir existe : le dieu doit apporter du réconfort (le mot *confort* est prononcé dans la pièce 46, au vers 31) dans l'avenir. Mais sur ce bonheur futur l'Amant n'a jamais de prise. Il est toujours remis à plus tard. On sait que les poésies lyriques ne sont pas faites pour chanter l'équilibre et l'euphorie. Pour une raison de convenance esthétique la tonalité majeure des pièces de Thibaut est forcément le mode gris de l'inquiétude et du tremblement.

Il serait sans doute excessif d'affirmer que le dieu d'Amour n'est qu'une figure en trompe-l'œil, un prétexte à exercices rhétoriques ou à épanchements, un mirage auquel les poètes n'ont jamais accordé beaucoup de crédit. Un faux-semblant ne vit pas aussi longtemps. La longue survie du dieu d'Amour pendant le Moyen Age et la Renaissance, les nombreuses représentations figurées qui en furent faites montrent qu'il représente un rêve important de l'imaginaire des siècles anciens, un leurre auquel on a manifestement trouvé du charme. Dans le monde des poésies d'amour où le dieu chrétien n'apparaît quasiment pas, le dieu d'Amour représente l'intrusion du surnaturel. Le Soupirant n'est plus seul dans un univers désespérément vide, face à la Dame. Il a l'impression et l'illusion de dialoguer avec un tiers. Il espère trouver en lui un allié. Ce personnage merveilleux apporte un certain réconfort à l'Amant incertain de son sort. Il permet au poète de rêver.

Mais un esprit aussi lucide que Thibaut pose la question de savoir si, après sa mort et celle de sa Dame, Amour existera toujours (47, 1-7). Un débat a lieu à ce sujet. La Dame soutient qu'Amour est éternel : « Amors n'iert ja pour nule mort perie » (47, 9). Le poète affirme le contraire. Il prétend « Quant nos morrons, qu'Amors sera finee » (47, 21). Malgré l'hésitation de l'écrivain qui fait un sort aux deux thèses, on doit observer l'étroite liaison faite entre l'Amour et l'individu. L'Amour n'est autre ici pour le poète qu'une projection extérieure des sentiments éprouvés par le couple. C'est aussi sans doute un style de vie, un niveau idéal imposé aux relations amoureuses. Mais on ne saurait contredire le poète. Au plan de la vie sentimentale le dieu d'Amour est une figure complexe, étroitement liée aux sentiments personnels du créateur, à son rêve intérieur. Elle exprime subtilement le trouble et le désir impliqués dans toute rêverie et toute aventure amoureuses.

Philippe Ménard

Thibaut de Champagne,
de l'obsession du mal
à la mort du chant

« Li rosignous chante tant
Que morz chiet de l'arbre jus[1]... »

L'oiseau-poète meurt de son désir, meurt de son chant. Chute verticale et autodestruction que disent des vers pesants, des vers qui tombent ; et même si Thibaut de Champagne reprend ici un motif que l'on trouve déjà dans des sources savantes, force est de constater qu'il procède à un renversement du topique habituel de l'oiseau dans les entrées en poésie des troubadours et des trouvères, qu'il le bascule, en une inversion tragique : sans inventer de métaphores, il dit la mort avec celle qui structurait l'incantation de l'amour. Le rossignol qui tombe et meurt en chantant apparaît comme l'image négative de l'alouette tendant ses ailes vers l'azur, ivre de ses mélodies, cette alouette qui enchante la poésie de Bernard de Ventadour :

« Quan vei la lauseta mover[2]... »

et

« La doulce voiz du louseignol sauvage »

invitant le châtelain de Coucy à « chanter pour esbaudir », est devenue avec Thibaut signe de mort. Ces vers ne font pas exception, bien au contraire ; un faisceau d'exemples similaires permettent d'affirmer qu'il y a dans l'œuvre profane du trouvère un imaginaire de la peur et du mal qui n'appartient pas avec la même fréquence et la même intensité aux autres poètes courtois[3].

*

Pour tenter d'analyser ce phénomène, nous ne retiendrons que les facteurs internes à l'œuvre, en nous fondant sur l'ensemble du corpus, c'est à dire à la fois sur les chants religieux et sur les chants profanes.

1. Chanson V, p. 13, éd. Wallensköld, vv. 1 et 2.
2. On peut lire le beau poème de Bernard de Ventadour dans le texte et la traduction proposée par Pierre Bec in Anthologie des troubadours, éd. 10-18, Christian Bourgois, Paris, 1979, p. 132.
3. Cf. Poèmes d'amour des XIIe et XIIIe siècles, éd. E. Baumgartner, et F. Ferrand, éd. 10-18, Christian Bourgois, Paris, 1983, p. 74.

Un simple coup d'œil à l'ensemble des pièces permet de constater que Thibaut, qui est l'un des derniers grands chantres lyriques du XIIIᵉ siècle, est aussi le seul à s'être largement consacré à la poésie d'inspiration religieuse : trois chansons de croisade, un servantois et un lai religieux, quatre chansons à la Vierge. Il importe, à qui veut éclairer son imaginaire, de ne pas la négliger et de considérer la poétique du trouvère dans son intégralité.

Tout tentative de classement chronologique de l'œuvre étant infructueuse, il semblerait logique, comme l'organisation de l'édition nous y invite, d'aborder les pièces religieuses après les chants d'amour. En effet, qu'il s'agisse des chansons à la Vierge de Gautier de Coincy ou du corpus des chansons anonymes, ces textes se proposent toujours dans les formes déjà utilisées dans la lyrique profane. D'autre part, comme nous avons tenté de le montrer[4], même si ce ne sont pas des *contrefactures* au sens strict du terme, elles s'écrivent *contre* (dans les deux sens du mot) les pièces profanes, dans la mesure où, tout en en gardant le moule, elles substituent un objet d'amour sacré à l'objet profane, la Vierge à la dame.

La substitution apparaît nettement dans ce vers de Thibaut :

« Quant dame perz, Dame me soit aïdanz[5]. »

Cependant il serait vain et faux de supposer le poète composant d'abord son œuvre profane, puis les pièces d'inspiration religieuse, le départ à la croisade formant l'axe de je ne sais quelle conversion. Bien des vers le montrent au contraire tourmenté, tendu entre les deux services, cherchant l'impossible conciliation des deux formes d'amour.

C'est précisément cette tension qui s'inscrit au cœur de la démarche de Thibaut et détermine l'aspect le plus personnel de son imaginaire, dans la mesure où il écrit conjointement sur les deux registres, à la différence, encore une fois, des autres trouvères. En effet, si l'amour de la Vierge se propose comme un effacement purificateur de celui de la dame, celui-ci est vécu dans la culpabilité, comme un mal. La dévotion à la Dame du Ciel implique le renoncement douloureux au corps de l'autre. La substitution d'un objet d'amour à un autre implique alors un déplacement de la peur. A la peur du refus de la dame, source de la tension amoureuse et de la tension dans l'écriture qui caractérise la poésie des autres trouvères, se substitue la peur de la faute ; à la crainte de ne pas obtenir la récompense de la possession charnelle,

4. *Chanson LV, v. 44, p. 189.*
5. *Cf. mon article : "Ut musica poesis : la relation de la musique profane des XIIᵉ et XIII siècles à un modèle sacré", in* L'Imitation, aliénation ou source de la liberté, *Rencontres de l'école du Louvre, éd. La Documentation française, 1985, pp. 107 et suiv.*

se substitue l'angoisse de payer cette récompense par les peines infernales, angoisse qui hante Thibaut. Fou d'inquiétude, il implore non plus la pitié de sa dame mais l'intercession de la Vierge, afin d'être sauvé :

« Douce dame, or vos pri gié
Merci, que me desfendez
Que je ne soie dampnez
Ne perduz par mon pechié[6]. »

Nous examinerons donc d'abord l'œuvre d'inspiration religieuse même si, comme nous venons de le dire, le fait qu'elle se propose comme le dépassement salvateur de la lyrique profane justifierait qu'on l'abordât en second.

En effet, tout imprégné de culture cléricale, l'imaginaire de Thibaut s'organise dans son ensemble autour d'une angoisse première, nourrie d'un sentiment de culpabilité et de crainte du châtiment éternel. Cette angoisse rejaillit sur la poésie profane qui se fait alors porteuse de son mal de vivre et de la peur d'une féminité tentatrice, donc dangereuse, redoutable dans la mesure où elle est occasion de chute, « Cette féminité qui nous gâche l'infini », dira Céline.

Nous aborderons ensuite les chants d'amour en mettant en lumière le fait qu'il s'y manifeste bien une peur conséquente à l'angoisse religieuse, et que la crainte de la torture et de la mort s'y articule autour de métaphores du mal similaires à celles utilisées dans le registre pieux. Nous verrons comment cet imaginaire du mal transmue celui de l'amour en le renversant en imaginaire du péché, péché inhérent à la chair mais aussi à la parole poétique qui la célèbre, péché non pas tant extériorisé en actes mais intériorisé en paroles coupables dont le nécessaire refus ne peut qu'entraîner la mort du chant en même temps que le renoncement à l'amour.

*

Voici donc que naît, dans les formes faites depuis un siècle pour l'incantation vibrante du désir, une poésie religieuse non seulement inquiète mais violente, une poésie empreinte des pouvoirs de l'horreur, d'où l'ordure n'est pas absente, ni la puanteur, à la fois source, signe et conséquence de la souillure et de la faute.

Une sorte de rage haineuse s'empare du poète devant le spectacle de l'humanité qu'il accuse de se vautrer dans le péché. Tel un prédicateur obsédé par la faute individuelle

6. Chanson LIX, p. 210, vv. 11 à 14.

et collective, il fustige ses contemporains, les autres chevaliers :

« Au tens plain de felonnie,
D'envie et de traïson
De tort et de mesprison,
Sanz lien et sanz cortoisie,
Et que entre nos baron
Fesons tout le siècle empirier... »

gronde-t-il au début de la chanson LV.

Les hommes, selon lui, ne font que le mal,

« Que bien ne droit ne pitié n'a mès nos,
Ainz est orguels et baraz au desus
Felonie, traïsons et bobanz[7]... »

Le chant de célébration, à l'initiale d'un poème, se renverse alors en lamentation sur l'universalité du mal, comme au début de la pièce LX, où le poète semble paraphraser le fameux passage de la Genèse où il est dit que « l'objet du cœur de l'homme est le mal dès sa jeunesse[8] ».

« De grantz travail et de petit esploit
Voi le siecle chargié et enconbré,
Que tant sonmes plain de maleürté
Que nus ne pense a fere ce qu'il doit. »

Non moins violente est, à la strophe V, son attaque contre ceux qui obéissent au pape, les papelarts : ce sont des criminels, ils « ocient tous la simple gent ». L'obsession de la souillure et de la puanteur apparaît alors sous sa plume pour les désigner :

« Cilz sont bien ort, puanz et mauvaiz. »

Ailleurs, il prend des accents à la Léon Bloy lorsqu'il évoque les chevaliers hésitant à partir pour la croisade ; il les voit comme autant de *morveux*, de *cendreux*, d'*aveugles*[9]. La damnation que nous croyons fuir, nous la recherchons en fait, pense Thibaut, avec complaisance et avec une attirance morbide pour la souffrance du châtiment :

« Et nous, chetif, n'alons mès riens querant,
Quant nos morrons, ou nos puissons guerir ;
Nous ne cerchons fors qu'Enfer le puant[10]. »

D'autre part, bien plus que la foi en un Dieu miséricordieux, la peur du Diable habite le poète. Il ne le nomme pas moins de neuf fois (dont trois allusions à l'Ennemi) dans ce petit groupe de pièces et il est présent dans chacune des chan-

7. *Chanson LVI, p. 195, vv. 11 à 14.*
8. *Chanson LX, p. 211, vv. 1 et suiv.*
9. *Chanson LIII, vv. 18 et 19, p. 184.*
10. *Chanson LX, vv. 21 à 23, p. 212.*

sons à la Vierge, alors qu'il ne figure habituellement pas dans ce type de textes.

Calquée sur l'imaginaire du féodalisme, sa représentation du Diable, est celle du mauvais seigneur, de l'anti-seigneur. Il est servi par les chevaliers mauvais qui ont oublié leur bon suzerain auquel ils ont prêté hommage sur les fonts baptismaux, « en qui sainz fonz nous feïmes hommage ». Thibaut déclare :

> « Ainz avons si le Deable troussé
> Qu'a lui servir chascuns paine et essaie[11]. »

Pire, l'Antechrist lui-même nous menace, guidé par la main du Diable :

> « Mès Antecriz vient, ce poëz savoir,
> As maçues qu'Anemis fait mouvoir[12] »

à moins que Dieu nous vienne

> « Et a l'Anemi tolir
> Nos et geter de torment[13]. »

Autre représentation de la puissance du mal, celle du tentateur perfide qui tend des pièges à l'humanité afin de la capturer. Dans la vision angoissée de Thibaut, l'image du Diable pêcheur d'âmes sur une mer devenue mer de perdition se substitue à celle des apôtres pêcheurs d'hommes que propose l'Evangile :

> « Deables a geté pour nous sesir
> Quatre aimeçons aoschiez de torment :
> Convoitise lance premierement
> Et puis Orgueil pour sa grant roiz enplir
> Luxure va le batel traïnant
> Felonie les gouverne et les nage
> Ensi peschant s'en viennent au rivage[14]... »

L'Enfer où mène cette barque du mal, dont nous avons déjà vu qu'il était « puant », apparaît cinq fois dans la poésie religieuse ; il est souvent figuré par la prison, châtiment du mauvais seigneur : c'est la « noire prison » dont la Vierge nous sauve (LVII, chanson 6).

Dieu lui-même, le bon Seigneur, se montre exigeant. Sa pensée, loin d'apaiser Thibaut, le remplit d'effroi. En effet, il ordonne aux chrétiens de venger la mort du Christ. Ceux qui ne veulent pas partir, malheur à eux, Dieu en prendra « cruel venjance ». Il les enverra en Enfer, au jour du jugement :

11. *Ibid., vv. 5 et 6.*
12. *Chanson LVI, p. 196, vv. 49 et 50.*
13. *Chanson LIX, p. 203, vv. 21 et 22.*
14. *Chanson LX, p. 212, vv. 28 à 34.*

« Et vos, [dit-il], par qui je n'oi onques aïe
Descendroiz tous en Enfer le parfont[15]. »

Seule la Vierge peut apaiser Sa colère et retenir Sa main prête à tendre l'arc contre le pécheur.

Certes, l'obsession du mal, du châtiment présent ou futur n'est pas propre à Thibaut. Comme Michel Zink l'a mis en évidence, elle s'étale avec une sorte de rage dans la littérature sermonnaire de l'époque. Ainsi du sermon de Maurice de Sully : *Sepulcrum patens est guttur eorum* qui invite au mépris de la chair en évoquant la putréfaction dégoûtante des corps dans les tombeaux, ou encore du sermon anonyme : *Erit in novissimis diebus* évoquant, lui, le pourrissement de la fleur, l'odeur nauséabonde du fumier et celle de la charogne afin de nous mieux donner l'idée, l'avant-goût, pourrait-on dire, des puanteurs infernales.

Ainsi de l'allégorie du Pélican dans le Servantois religieux *Dieu est ainsi comme le Pelican*. Toujours grâce à Michel Zink, nous pouvons rapprocher ce motif de celui d'un sermon limousin : *Similis factus sum Pelicano solitudinis, factus sum sicut nycticorax in domicilio*. Il y est dit que le pélican fait son nid de bonnes herbes tandis que la chouette s'installe sur des herbes pourries et malodorantes. La puanteur de son nid tue les petits du pélican. Seules les larmes de sang qu'il verse peuvent les ramener à la vie[16].

Or Thibaut développe ainsi le motif :

« Dieu est ensi comme li pellicanz
Qui fet son nid el plus haut arbre sus
Et li mauvès oisiaus, qui vient de jus
Les oisellons ocit : tant est puanz
Li peres vient destroiz et angoisseus
Du bec s'ocit, de son sanc dolereus
Vivre refet tantost ses oisellons.
Dieu fist autel quant fu sa passions :
De son douz sanc racheta ses enfanz
Du Deable qui trop estoit poissanz[17]. »

Sa vision est encore plus morbide que celle de l'auteur religieux : à la mort des oisillons causée par la puanteur de la chouette, il ajoute celle du phénix, escamotée dans le sermon limousin et qu'il emprunte au *Physiologus* de Vienne.

La strophe s'organise autour de la sémantique de la souffrance et de l'horreur : l'accent n'est pas mis sur la bonté de Dieu rachetant l'humanité, mais sur le mal, les blessures, le sang : « li *mauvès* oisiaus » (v. 4), « ses oisellons *ocit*

15. *Chanson LIII, p. 185, v. 28.*
16. *Michel Zink :* La Prédication en langue romane autour de l'an 1300, *Champion, Paris, 1982, pp. 361 et suiv., 470 et suiv.*
17. *Chanson LVI, p. 194, vv. 1 à 10. Voir aussi, sur ces questions, Pierre Canivet,* L'Animal, l'homme, le Dieu dans le Proche-Orient ancien, *colloque de Cartigny, éd. Peeters, Louvain, 1981, pp. 145 à 154.*

tant est *puanz* » (v. 4), « li pere vient destroiz et *angoisseux* » (v. 5), « du bec *s'ocit* », « de son sane dolor*eus* / vivre refet tantost ses oisellons » (v. 6 et 7). Loin d'enchaîner sur l'idée de rachat, la strophe II poursuit : « Li guerredons en est mauvès et lenz… » Et le poème se clôt sur une dernière vision d'horreur,

> « Et [Dieu] nos vueille garder a touz iors mes
> Des maus oisiaus qui ont venin es bès. »

*

Or la hantise du mal, de l'impureté, de la souillure qui imprègne la poésie religieuse de Thibaut se retrouve dans les pièces profanes où l'exaltation du désir, si elle reste le mobile du chant, se heurte à la crainte du péché de la chair et à l'angoisse du châtiment qu'entraîne le fait d'y avoir succombé. La théorie chrétienne du péché et de sa rédemption par le corps du Christ se noue ainsi autour du problème de la relation à son propre corps et à celui de l'autre.

A cet égard, le poème *Mauvès arbre ne puet florir*, sur lequel nous nous attarderons un instant, apparaît comme la clef de voûte de l'univers mental du trouvère. Ce chant s'élabore autour d'une allégorie centrale, celle d'un arbre porteur de fruits, dont on comprend au fil de la lecture qu'il est à la fois l'arbre porteur de la pomme tentatrice dans la Genèse, le figuier de l'Evangile en même temps qu'il propose aux hommes les fruits de l'amour de Dieu.

La logique n'est certes pas à rechercher dans le développement assez peu cohérent de cette allégorie ; cependant, il apparaît clairement une opposition radicale entre l'amour de Dieu et l'amour humain : celui qui n'entre pas au service de Dieu est semblable à un arbre stérile qui meurt sans porter de fruits ; le bon arbre, celui que le poète désigne sous le vocable d'*arbre de Nature*, (de même qu'il nomme la Vierge *reïne naturaus*, dans la pièce LIX) porte le fruit mûr de l'amour de Dieu qu'il importe de savoir cueillir. Cela implique que le poète ne cherche plus à s'emparer du fruit vert de l'amour profane « le fruit en qu'Adams pecha », qu'il cesse de tourner autour du tronc de l'arbre comme le fait l'enfant au cœur plein de convoitise. D'un côté se propose le fruit tentateur de la sexualité, qui mène l'homme à sa perte, de l'autre, celui de l'amour de Dieu dont la Vierge permet de goûter la saveur, seule voie d'accès au salut.

Avec un tel mode de pensée, il semble difficile de célébrer sans contraintes et sans craintes les délices de l'amour.

Comme il fallait s'y attendre, l'imaginaire du désir, chez Thibaut, est souvent tissé de la même angoisse que celle que nous avons rencontrée dans la poésie religieuse, trame d'une seule étoffe réversible, susceptible de coller tantôt à l'un, tantôt à l'autre objet.

Premier télescopage : dans la logique du système, l'amour est assimilé au Diable :

« Amour semble Deable qui maistrie[18]. »

Et de même que le Diable, dans la poésie religieuse, se saisissait de sa proie en lui tendant les hameçons de Convoitise, d'Orgueil, de Luxure et de Félonie, de même, l'Amour s'empare des siennes en leur tendant des pièges et l'amant est tel un oiseau capturé :

« Li oiselet se va ferir el glu[19]. »

L'Amour traque les cœurs, « il les prend au bois, les ocie, les afole ». La poursuite est mortelle.

D'autre part, le poète réutilise dans les pièces profanes des allégories prises au bestiaire religieux, en en renversant la signification. Ainsi de la licorne qui meurt dans le giron de la jeune fille envoyée par les chasseurs pour tenter l'animal afin de la capturer. Thibaut fait de l'allégorie christique celle de l'amant qui meurt victime de son amour :

« Ausi conme unicorne sui
Qui s'esbahit en regardant
Quant la pucele va mirant.
Tant est liee de son ennui,
Pasmee chiet en son giron ;
Lors l'ocit-on en traïson.
Et moi ont mort d'autel semblant
Amors et ma Dame por voir :
Mon cuer ont, n'en puis point ravoir[20]. »

De même, le phénix, autre allégorie christique, devient la figure de l'amant qui s'autodétruit, et là encore, le poète renchérit sur son modèle puisque l'oiseau meurt sans renaître de ses cendres :

« Li fenix quiert la busche et le sarment
En quoi il s'art et jette fors de vie,
Aussi quis-je ma mort et mon tourment[21]. »

Oiseaux pris dans la glu, affolés ou tués, licorne mourant capturée, pélican se dévorant lui-même à coups de bec, serpent qui « poigne », phénix qui meurt sans renaître de ses cendres, tel est, à l'exclusion de tout autre, dans le domaine

18. *Chanson XXX, p. 101, v. 5.*
19. *Chanson XXIX, p. 99, v. 31.*
20. *Chanson XXXIV, p. 112, vv. 1 et suiv.*
21. *Chanson XX, p. 66, vv. 25 à 27.*

religieux comme dans le domaine profane, l'étrange bestiaire de Thibaut qui, traqué par son angoisse, fasciné par la mort, est pris entre la peur du péché à cause de l'autre et la peur de l'aliénation par l'autre, et finalement par la peur de la destruction de soi dans le monde de la beauté piégée et dans celui du chant, de l'écriture.

L'Amour est devenu une prison investie par les pouvoirs de l'horreur et de la puanteur.

> « De la charte a la clef Amors
> Et si i a mis trois portiers :
> Biau Senblant a non li premiers,
> Et Biautez cele en fet seignors ;
> Dangier a mis a l'uis devant,
> Un ort, felon, vilain, puant,
> Qui mult est maus et pautoniers.
> Cil troi sont et viste et hardi :
> Mult ont tost un honme saisi[22]. »

Terrible association d'êtres malfaisants, qui ont le Souffrance pour porte-étendard, « soufrir en est gonfanoniers », et qui font subir à l'amant plus de tourments qu'il n'en fut infligés à Olivier ou à Roland. La beauté prend ici une fonction bien énigmatique, elle qui voisine avec la puanteur et se trouve à ses côtés, gardienne de la prison. Reine des cachots malsains, sœur de la Reine de la Nuit, contaminée par le mal. Beauté de la jeune fille responsable de la mort de la licorne, beauté renversée en péché et péché renversé en amour. « C'est un des génies de christianisme, nous dit Julia Kristeva, d'avoir renversé en un seul geste la perversion et la beauté comme l'envers et l'endroit d'une même économie[23]. » L'univers mental de Thibaut s'inscrit dans cette économie, il célèbre les pouvoirs de l'écriture alors même qu'il les met en péril.

*

Le rossignol meurt, le chant meurt lui aussi. Apparemment, pourtant, rien n'a changé : toute convention d'écriture est retenue à son rang. Le roi se plaît aux jeux-partis avec les seigneurs amis, tout comme à la louange des dames.

Pourtant de grandes taches sombres apparaissent dans les œuvres qui, on le pressent, amèneront bientôt au refus du sujet et de sa signature, le modèle, les anciens motifs devenant inadéquats à leur objet.

22. Chanson XXXIV, p. 113, str. III.
23. Voir Julia Kristeva, Pouvoirs de l'horreur, Paris, Seuil, coll. "Points", 1983, p. 146.

Que s'est-il passé ? Le grand chant s'est élaboré, je demande pardon de me répéter inlassablement, dans le sillage des tropes du plain-chant, tropes de louange et de jubilation, dans une nature en fête au moment de Pâques.

Joie lumineuse, contemplation immobile justifièrent l'incantation à la dame dans l'ample et difficile construction des pièces lyriques profanes. La piété monastique d'un saint Bernard, d'un Guillaume de Saint-Thierry accordait alors à tout amour d'être le reflet et aussi les prémices du rayonnement de l'amour divin ; la conciliation du ciel et de la terre s'opérait à travers un symbolisme diffus où les vibrations du monde visible se faisaient l'écho du monde invisible dans l'unité et l'harmonie, source et manifestation de toute beauté, de tout bien, de tout amour.

Au XIIIe siècle, la France du nord est traversée de courants intellectuels auxquels l'homme de culture, et de culture livresque, qu'est Thibaut, ne reste pas extérieur. On raisonne, on débat sur ces deux objets d'amour et le service de l'un apparaît incompatible avec le service de l'autre. Ils sont sentis non plus comme complémentaires dans une seule ascension vers l'absolu mais comme contraires. Et la conciliation scolastique des contraires n'aura pas lieu.

L'organisation féodale a investi la représentation religieuse comme, dans un premier temps, elle avait structuré l'imaginaire du désir. Il y a désormais deux seigneurs : l'amour humain et l'amour divin, deux suzeraines, la dame et Notre-Dame, deux fiefs à conquérir, un cœur et Jérusalem, deux paradis pour récompense, le corps de la femme et le paradis d'éternité.

Or Dieu exige qu'on le serve en s'arrachant à l'attachement terrestre. La croisade actualise la nécessité du choix entre les deux objets d'amour, l'un ne mène plus à l'autre, hors du temps, dans la contemplation de la beauté.

Le chant qui générait l'amour autant que l'amour le fondait est remis en cause au cœur même de son écriture, en son espace ; le poète dénonce non seulement la culpabilité de son désir mais aussi celle de la parole qui le dit ; la faute est alors intériorisée, en paroles, selon une conception toute évangélique du péché :

« Phelippe, lessiez vostre error,
Je vos vi ja bon chanteor,
Chantez et nos dirons desus
Le Chant *Te Deum laudamus*[24]. »

24. *Chanson LVIII, p. 207, vv. 60 à 63.*

Thibaut compose au moment où l'amour comme la foi inscrivent désormais les formes de leur manifestation dans le temps de l'histoire : la mesure du temps commence à structurer la pensée et avec elle s'introduit la musique mesurée, à laquelle ne pourront survivre les douces et contemplatives mélodies non mesurées du grand chant d'amour. Ce n'est pas un hasard si l'on passe peu à peu, à la fois dans le domaine de l'affect et dans celui de l'écriture musicale, d'une tradition néoplatonicienne à un système aristotélicien.

L'espace visuel, lui aussi, se fixe. Le rayonnement d'une polyvalente et bienfaisante beauté solaire, rose du signe, s'efface devant des allégories univoques, clôture d'un imaginaire qui se fige, enchaîné dans la prison obscure qu'il se construit. Comment, alors chanter sans en mourir ? Le rossignol meurt en chantant, et avec lui, le signe.

Françoise Ferrand

Jeux-partis
de Thibaut de Champagne :
poétique d'un genre mineur

On a conservé neuf jeux-partis auxquels participe Thibaut de Champagne. Dans le *Recueil général des jeux-partis français*[1], mis à part ceux de Thibaut, on ne trouve que deux jeux composés dans l'entourage des comtes de Bretagne, la majorité des pièces provenant du cercle littéraire des bourgeois d'Arras, Le Puy, et, plus tard, de celui de Roland de Reims. Si de nombreux seigneurs (le comte d'Anjou, le duc de Brabant...) sont signalés comme participant à ces joutes poétiques, elles fleurissent néanmoins dans un milieu qui n'est pas à proprement parler courtois. Le nombre relativement élevé de jeux dont Thibaut est l'un des protagonistes les signale donc à l'attention, et nous n'en connaissons pas d'exemple chez les trouvères de la génération précédente[2]. Thibaut de Champagne, en outre, jouissait d'une certaine réputation parmi les amateurs de ce genre poétique : Jehan Bretel fait allusion dans le jeu XXVII à l'opinion soutenue par Thibaut dans le jeu IX :

« Li rois u Navare apent
Le tres grant sens desfendi
Qu'en aucun point est sieunés,
Mais tres grant fine biautés
Est tout adès en saison. » (v. 43-47.)

Grieviler, son adversaire, n'est d'ailleurs nullement impressionné par cette référence :

« S'uns rois parla folement
Volés vous faire autresi. » (v. 54-55.)

L'œuvre de Thibaut de Champagne nous permet donc d'examiner, chez un même poète, et l'un des plus grands, les liens qu'entretiennent la chanson et le jeu-parti, étant entendu que, différemment des pastourelles, le jeu-parti appartient au « registre aristocratisant[3] », qu'il suit les règles strophiques et prosodiques de la chanson à laquelle

1. A. Långfors, avec le concours de A. Jeanroy et L. Brandin, Recueil général des jeux-partis français, *Paris, Champion, S.A.T.F. 1926. Les références des jeux seront celles de cette édition, tandis que celles des poèmes seront prises dans l'édition de A. Wallensköld,* Les Chansons de Thibaut de Champagne, roi de Navarre, *Paris, S.A.T.F., 1925.*
2. *Nous trouvons des jeux-partis dans l'œuvre d'un certain nombre de poètes du XIIIe : Richard de Fournival, Adam de la Halle, Guillaume le Vinier.*
3. *Pierre Bec,* La Lyrique française au Moyen Age, *Paris, Picard, 1977, vol. I, pp. 35-36.*

il emprunte généralement sa mélodie[4] quoiqu'il offre une structure et un projet originaux : il est une discussion entre deux poètes sur des points de casuistique amoureuse, le premier poète donne le sujet, selon une formulation de type dilemmatique, ainsi que le modèle strophique et mélodique de la pièce mais il s'engage à défendre la partie qui n'aura pas été choisie par son partenaire ; enfin, les deux adversaires font appel à des juges pour trancher le débat.

Ces poèmes posent au lecteur contemporain, rarement conquis, plusieurs questions dont la principale est celle du rôle, complémentaire ou ambivalent, qu'ils jouent par rapport à la chanson, dans la mesure où « ils restèrent en vogue aussi longtemps que se maintint, dans sa puissance originelle, le chant des trouvères : comme si pour les hommes de ce temps, cet art de finesse, d'allusion jamais tout à fait dite, avait eu besoin pour rester conscient de lui-même des justifications de la dialectique[5]. »

Quel sens, en effet, accorder à cette mise en débat du discours lyrique ? Le jeu-parti est-il simplement le contrepoint obligé de la chanson, sorte de dédoublement nécessaire qui la renverrait à elle-même en la justifiant ? Ou est-il tributaire d'un autre système de signes qui, sous couvert de le répéter, transforme le message lyrique, crée en lui une faille qu'il ne peut combler ?

Ces questions ne seront ici qu'effleurées et j'essayerai de présenter quelques perspectives, en limitant mon propos aux seuls poèmes de Thibaut, non sans savoir qu'il n'est pas, pour la lyrique médiévale, d'écriture véritablement propre à un auteur.

I. La quête de l'Autre

La première piste que je suivrai se situera en quelque sorte en deçà du jeu-parti, dans ce qui, au cœur de la chanson d'amour, le rend possible et peut-être nécessaire.

Le poème qui construit l'image du désir amoureux à travers le jeu des pronoms *je-vous* appelle à une recherche constante de l'interlocuteur, à ce qui serait une réponse à son message, à l'alternance des voix. S'il est vrai que le *je*, le poète, l'amant, qui énonce son amour, n'est pas investi du poids des expériences vécues et peut s'incarner avec autant de force chez mille interprètes, le *vous*, pôle féminin, se dérobe dans la trame même du discours poétique, sous une troisième personne, *elle*, et une appellation imper-

4. *Jean Maillard*, Adam de la Halle, perspective musicale, *Paris, Champion, 1982, p. 68 : « Ces mélodies ne sont en principe pas originales et empruntent leur timbre à une chanson dont le texte poétique est également sollicité, au moins pour la sonorité des rimes. »*
5. *Paul Zumthor*, Essai de poétique médiévale, *Paris, Seuil, coll. Poétique, 1972, p. 265.*

sonnelle et générale, *dame*, quelquefois, mais peu souvent chez Thibaut, « *ma dame* », selon une formulation qui marque davantage encore la distance qui sépare celle-ci de l'amant :

> « De ma dame souvenir
> Fet Amors lié mon corage. » (XVIII, v. 1-2.)

Les adresses directes à la dame se résolvent dans un douloureux monologue :

> « Dame, une riens vous demant :
> Cuidiez vous que soit pechiez
> D'occire son vrai amant ?
> Oïl, voir ! bien le sachiez ! » (XVII, v. 37-40.)

Métonymie du poète, la chanson est le seul élément d'échange et de communication possible, mais comme telle, elle comporte une ambiguïté irréductible : qu'elle apprenne à la dame les souffrances de l'amant ou que la dame aille jusqu'à chanter la chanson (envoi du poème VI), la réponse ne vient pas et la dame demeure muette et effacée. Elle n'est que l'objet du poème et, accidentellement, son interprète, elle se fond alors dans le *je* de l'amant et s'y dilue.

La multiplication des interrogations, loin d'ouvrir à un échange, est l'inscription verbale de l'impasse du discours. L'amant, désespéré, se tourne vers Dieu qu'il prend à témoin de sa peine et son cri se suspend dans le silence :

> « Deus ! Fu ainz mès cuers si bien enchantez ? »
> (XXXIII, v. 48.)

Ces interpellations soulignent la solitude du discours de l'amant et le condamnent à la spécularité.

La tension cependant se fait si forte que le poète prête une voix à la dame, allant par cette ruse jusqu'au bord de l'aveu tant espéré :

> « Tant que vous dïez : ''Amis
> Je vous vueil m'amor donner''. » (XXXI, v. 43-44.)

La chanson se maquille alors en dialogue, mettant en scène la dame (chanson XLVII) ou l'amour (chanson XLVIII).

Le système d'oppositions ainsi mis en place, *moi-elle*, mais aussi *moi-elle-les autres*, « la situation universelle de conflit[6] », qui structure l'image de la *fin'amor*, se répercute sur tous les termes et les éléments du discours s'organisent en séries contradictoires et antithétiques. La définition de l'amour est paradoxale et la souffrance qu'il procure est douceur :

6. *Paul Zumthor*, Langue, texte, énigme, *Paris, Seuil, coll. Poétique, 1975, p. 188.*

« Les douces dolors
Et li mal plesant
Qui viennent d'amors
Sont douz et cuisants » (XXXI, v. 1-4.)

L'amour sera une sage folie (XI, v. 19-20), l'amant sera déchiré par la joie et la peine, le souvenir de la dame le tuera et le fera vivre tout à la fois :

« Joie et duel a cil souvent
Qui le mien mal a senti.
Mes cuers plore et ge en chant. » (XXXIV, v. 22-24.)

« Dame, ma mort et ma vie
Est en vous, que que je die. » (XXXVII, v. 36-37.)

Dans un tel univers, le sens des mots est ambigu : ils sont affectés d'un double signe quand le cœur et la raison disputent. Les critères du vrai et du faux deviennent incertains, le langage s'installe dans la duplicité et les menteurs pullulent : ils accusent l'amant d'être un faux amant,

« Adès dïent : ''Dame, on vos veut guiller,
Ja par amor n'amera riches hom.'' » (XXIX, v. 13-14.)

ou ils prient faussement la dame :

« Qu'assez i a d'autres que je ne sui
Qui la prïent de faus cuer baudement.
Esbaudise fet gaaingnier souvent,
Mès ne sé riens, quant je devant li sui. »
(XXIX, v. 20-24.)

Une parole habile est suspecte. Le vrai amant se reconnaîtrait-il à son mutisme ? Mais comment alors chanter son amour ? Dilemme inextricable.

« Se je li di : ''Dame, je vous aim tant'',
Elle dira je la vueil engingnier,
Ne je n'ai pas ne sens ne hardement
Qu'encontre li m'osasse desresnier.
Cuers me faudroit, qui me devroit aidier,
Ne parole d'autrui n'i vaut noient.
Que ferai je ? Conseilliez moi, amant !
Li quels vaut melz, ou parler ou lessier ? »
(IV, v. 25-32.)

La même problématique est reprise dans le jeu parti n°6.

La dialectique de la *fin'amor* suscite donc à tous les niveaux l'interrogation et le débat. Toujours suggéré dans la chanson, celui-ci ne peut s'actualiser qu'au prix d'un déplacement de l'interlocuteur, non plus la dame mais un autre poète, un autre amant, un *alter ego* en quelque sorte, et ce dans une forme nouvelle et complémentaire, celle du dilemme.

Un tel débat, en effet, confirme la chanson dans sa structure en faisant apparaître les parties antagonistes qui la composent. En dissociant les éléments de l'antithèse, en mettant au jour les principes d'une antinomie constitutive, il fait éclater la matière poétique en un catalogue de thèmes et de motifs récurrents qu'il élabore en casuistique.

Il n'est, en ce sens, qu'une reformulation, une variation autour des mêmes questions : comment avouer son amour ? Comment lire les signes de l'amour ? Les débats entre Philippe et Thibaut participent aussi de cette recherche sur le sens de l'art d'aimer :

XLVI : Qu'est devenu l'amour ?

XLIX : Pourquoi Thibaut ne chante-t-il plus ?

Mais le jeu-parti, dont le nom désigne une situation sans issue, pose les termes d'une alternative qui souligne l'impossibilité d'une réponse unilatérale et définitive.

II. Les dilemmes de l'amour

Les sujets des jeux où intervient Thibaut de Champagne se résument en un petit nombre de thèmes : mérite et souffrances de l'amant (III, IV, VI, VIII, IX), selon diverses figures, loyauté et traîtrise (IV), rivalité (VIII), et, de façon plus parodique dans le jeu X : « Doit-on d'abord baiser la bouche ou les pieds ?[7] » Thème auquel se raccroche aussi le jeu XI, opposant amour charnel et amour pur. Une dernière variante, elle aussi issue d'une longue tradition, se rapporte à ce qu'on appelle les *Quinque lineae amoris* ou les cinq sens (et stades) de l'amour : vue, parole, toucher, baiser, union charnelle. Une hiérarchie s'établit entre eux, objet de débats et sujet de plusieurs jeux-partis : ici, les jeux V et VII.

La chanson se fonde sur le présupposé de l'amour du poète : sans amour, point de chant[8]. Le jeu-parti déplace la problématique vers l'idée qu'il existe une vérité de l'amour, un droit qui dicte une bonne et une mauvaise conduite, qui permet de distinguer les bons-vrais amants des mauvais-faux amants, et que cette vérité, cette « droite voie » peut être reconnue et dite, rompant ainsi le cercle des faux-semblants.

7. *Ce thème est traité ici en termes de respect-humilité* vs *plaisir immédiat, mais si on le lit selon l'opposition haut-bas, il peut apparaître comme une variante édulcorée de débats provençaux, obscènes ou grivois, tel le partimen entre Mir Bernart et Sifre : « D'une dame j'ai la moitié, mais je n'ai pas pu me décider s'il vaut mieux le bas ou le haut. » René Nelli,* Ecrivains anticonformistes occitans, la femme et l'amour, *Paris, Phébus, 1977, p. 271.*
8. *Dans le débat n°XLIX, à Philippe qui lui demande pourquoi il ne chante plus, Thibaut répond que c'est parce qu'il ne veut plus aimer.*

Une série de termes construit le paradigme de la vérité ou plus exactement de son énonciation. Il serait trop long d'en reprendre toutes les occurrences, mais les formulations sont peu variées.

> « La bone amors la ou ele est por voir. » (IV, v. 44.)

> « Je vos di sanz mentir. » (VII, v. 12.)

> « Baudouin, voir, je n'en mentirai ja. » (X, v. 19.)

Ces expressions se multiplient dans les envois où sont convoqués les juges du débat :

> « A Gilon pri qu'il en die le voir
>
> ...
>
> Qu'il nos face remenoir
> Et voir die a son pooir. » (IV, v. 57, 63-64.)

La vérité prenant nettement dans l'appel à ces arbitres une teinte juridique, vérité et droit tendent à se confondre. Ainsi dans les envois du jeu III :

> « Qu'il nos en die le voir. » (v. 51.)

> « Qui a droit de la partie. » (v. 56.)

Cette vérité est aussi un savoir et à travers les poèmes s'esquisse un groupe de non-sachant : de nature comme les bergers (V, v. 12-13), ou les enfants (VII, v. 49), mais aussi les clercs (VI, v. 46-50).

Il s'agira donc de montrer « quel est le mieux », non d'après son avis personnel, mais d'après « ce qui doit être ». Le choix cependant est étroitement limité. L'articulation des motifs lyriques autour de la coordination adversative « ou », des oppositions terme à terme, les constitue en deux propositions exclusives l'une de l'autre, entre lesquelles le partenaire est mis en demeure de choisir. Le jeu-parti, en opposant deux situations ou deux qualités contraires, procède par une sorte de simplification qui offre une certaine clarté et une apparente rigueur, mais n'autorise que des formulations peu variées. Il souligne ainsi la binarité de la matière courtoise, explicite le contredit devenu notation extérieure et non plus tension intérieure, mais enferme le débat dans une problématique à deux termes dont il ne sort pas. Ceux-ci sont affectés de signes de plus ou de moins, dès la formulation de la question et tout au long de la discussion : les relations de comparaison dominent la structuration du discours.

Par ailleurs, les articulations syntaxiques de la démonstration (cause, conséquence) apparaissent plus faiblement, tandis que se multiplient les complétives de verbes de déclaration ou d'opinion à la première personne et à l'impératif.

Le débat, en effet, s'organise entre deux pôles, celui de la comparaison, structure d'évaluation plus que d'analogie, vu le faible nombre d'images invoquées[9], c'est-à-dire une argumentation apparemment logique mais qui ne démontre rien et répète des hiérarchies, et celui de l'affirmation. Les formules assertives, très nombreuses (« je sai de voir que… ; ainz di chascuns que… »), produisent des effets de vérité récurrents, mais signent aussi l'impuissance ou, si l'on veut, le formalisme de la démonstration. L'appel à un jugement semble une dernière pirouette : la vérité est évacuée dans un au-delà du débat qui ne laisse la discussion ouverte que pour mieux souligner son impasse (silence des juges), tandis que s'installe une parole d'autorité, série de maximes et d'énoncés sentencieux qui conduisent à la tautologie. Les mêmes questions seront toujours reprises. S'il est une réponse, elle sera donnée par l'attitude de la dame :

> « Clers, puis qu'a moi avez tel guerre emprise
> Et vos de rien mon consoil ne prisiez,
> Crïez merçi, mains jointes, a ses piez
> Et li dites quanque vos voudroiz :
> El vos croira, et ce sera bons droiz[10]. » (VI, v. 60-64.)

III. Une glose du chant d'amour ?

Le statut du *je,* énonciateur du chant d'amour, est ambivalent dans le jeu-parti. Il est d'abord chargé de réel et d'individualité, ceux conférés par le nom du poète, Thibaut de Champagne ou Philippe de Nanteuil, Raoul de Soissons ou Guillaume le Vinier. Compositeur et interprète semblent indissociables, à la différence de la chanson. Le *je* amoureux ne disparaît pas totalement, mais il est distancié à travers la formulation du cas évoqué :

> « S'il avient que vostre amie
> Vous ait parlement mandé [...] » (V, v. 2-3.)

En tant que sujet de l'énonciation, il occupe une fonction nouvelle : il s'agit moins pour lui de chanter que de dire en chantant, et surtout de conseiller, d'enseigner la bonne voie[11]. Le *je* ici est didactique, porteur d'un savoir qui se réfère, même si ce n'est que formel, à une maîtrise de soi et à une intelligence des situations, en contradiction avec l'attitude du *je* amoureux de la chanson, « esbahis », « prisonnier », « enchantez », subissant ce qui lui arrive.

9. Allusion à la mère de Merlin dans le jeu VII, v. 22 et comparaison de Thibaut avec un dogue dans le jeu VII, v. 45-48.
10. Il est vain de chercher à deviner l'opinion véritable de Thibaut sur ces questions amoureuses, et on a eu beau jeu de remarquer ses contradictions entre les jeux V et VII.
11. VI, v. 1; 7 : « Bons rois Thiebaut, sire, consoilliez moi / Dites, sire, qu'en font li fin amant. » — IX, v. 1; 4 : « Baudouin, il sont dui amant / Li quelx la doit mieuz desraignier. »

Il entre, enfin, dans un rapport polémique avec son interlocuteur. C'est cette dynamique, et non celle de la démonstration, qui maintient le fonctionnement du jeu-parti et l'intérêt des auditeurs. Se référant également au concept de la vérité et de l'erreur, la polémique engendre la réfutation brutale de l'adversaire, joue de l'injure, et ouvre la voie à l'ironie et à la dérision. Elle est théâtrale.

« Girart d'Amiens, quant plus vous voy mouvoir
D'ensi parler et plus truis vo sens mendre. »

(XI, v. 37-38.)

Elle n'hésite pas à user d'allusions personnelles (jeu VII, embonpoint de Thibaut et claudication de Raoul), créant une faille dans la convenance et mélangeant les registres. Glissement qui n'est pas sans risque, comme le souligne Thibaut :

« Raoul, j'aim mielz vostre tençon
A lessier tot cortoisement
Que dire mal, dont li felon
Riroient et vilaine gent
Et nos en serions dolant. » (VII, v. 56-60.)

Si le jeu-parti est en germe dans la poétique du grand chant et en constitue le complément nécessaire, il occupe aussi, au sein de cette poétique, un rôle subversif. Il fait, en effet, éclater l'unité poétique de la *fin'amor* de plusieurs manières. Le dédoublement qu'opérait la parole amoureuse du poète lorsqu'il exhalait sa plainte devient deux paroles étrangères l'une à l'autre, qui assument deux discours différents et opposés qu'elles revendiquent comme propres.

Le jeu-parti se présente comme une glose. C'est un discours au second degré qui entend expliquer ce qui est la dynamique de la création poétique. Ce faisant, il explicite le non-dit, la structure interne. Il promeut des formes de pensées et de discours, motifs et lieux communs, au rang de réalités. Il donne un statut de référent à ce qui n'est qu'une stratégie d'écriture.

Il ne peut être, cependant, le lieu d'une élaboration théorique du chant d'amour, mais plutôt celui de la transformation du sens des motifs lyriques à la lumière d'un changement de perspective : la lyrique serait porteuse d'un savoir grâce auquel on pourrait agir. De ce point de vue, le jeu-parti se rapproche du *De arte amandi* d'André le Chapelain et de tous les arts d'aimer. Mais, pas plus que ceux-ci, en répétant les motifs lyriques selon un projet différent de celui de la chanson d'amour, il ne saurait être leur codification. Car,

> « De bien amer ne puet nus enseignier
> Fors que li cuers, qui done le talent,
> Qui plus aime de fin cuer loiaument,
> Cil en set plus et mains s'en set aidier. » (IV, v. 37-40.)

Le jeu-parti, en effet, relève d'un mode différent de séduction de la parole, d'une autre fonction du langage : celle de la parole dialectique et didactique. Thibaut de Champagne serait-il plus ''cérébral'' qu''amoureux''[12] ? Il relève aussi de la parole théâtrale. Son destinataire est le groupe social. Il est d'abord, et essentiellement, un jeu.

Jeu social, jeu de société, qui peut être compris, selon J. Huizinga[13], comme une forme de compétition, de combat entre pairs pour l'honneur en matière d'amour, mais aussi jeu qui se présente comme la forme extrême, dramatisée, du caractère ludique de la poésie courtoise.

En produisant une parole didactique, le jeu-parti projette illusoirement les motifs lyriques dans un réel qu'ils informeraient. C'est ce qu'en a retenu la tradition, en faisant participer les jeux-partis de la fiction des cours d'amour, tournant le dos au sens du *trobar*, l'art de chanter l'amour, qui ne peut témoigner que d'une seule expérience, celle qui se joue dans l'espace clos du poème et dans la relation intime du poète à sa langue.

Michèle Gally

12. *Jean Frappier,* La poésie lyrique en France aux XIIᵉ et XIIIᵉ siècles, *Paris, C.D.U., 1966, p. 185.*
13. *Johan Huizinga,* Homo ludens, *Paris, Gallimard, N.R.F., 1951, p. 207.*

L'« esloignance »
dans le jeu d'amour
Thibaut de Champagne,
autour de la chanson IX[1]

Les adieux

Au seuil de sa chanson IX, dite d'amour[2], Thibaut de Champagne, au lieu d'en appeler à l'intime union de l'amant poète et de la dame, signe et célèbre un départ séparateur, qu'il nomme ailleurs « esloignance[3] ».

Comme un poète célébrerait l'union amoureuse, Thibaut de Champagne chante la séparation. Ouvrant une crise il décide, devant la stérilité de son service amoureux (v. 16), d'y mettre fin et de s'en aller (v. 13). Son départ n'a rien de désespéré, il se fait « bonement » (v. 14) et l'amant va même jusqu'à témoigner une surprenante reconnaissance à ceux qui, l'enjoignant au départ, le congédient : « Amors le veut et ma dame m'en prie / Que je m'en parte, et je *mult l'en merci* » (v. 21-22). Si l'amant reçoit son congé comme une grâce, c'est que le départ n'est pas seulement rupture mais aussi promesse. En effet, au moment où tout paraît consommé, s'élève un « encore » : « Si cuit je fere *oncor* maint *jeu-parti* / Et maint *sonet* et mainte *raverdie* » (v. 31-32). Etroitement noué aux quatre premières strophes de la chanson (v. 3, 14, 22, 24), le motif du « partir » forme une trame que, comme ultime fil, vient boucler l'expression « jeu-parti » au vers 31. C'est là un maître-mot qui, s'offrant comme point de convergence de toutes les lignes du réseau sémantique, vient y faire nœud, en arrêter le glissement et en autoriser l'éclairage ''rétroactif'' aussi bien que l'orientation ''prospective''. Par un jeu de correspondances verbales, le « partir » comme séparation d'amour consone avec le « jeu-parti » comme forme poétique.

Fondée sur un impossible du rapport amoureux, la *fine amour* paraît ''trouver'' les moyens de le dépasser. Elle y

1. Nous nous référons à l'édition critique de A. Wallensköld, Les Chansons de Thibaut de Champagne, roi de Navarre, *Librairie ancienne Edouard Champion, Paris, 1925 (réimprimé par Johnson Reprint corporation, New York, London, 1968). Cette chanson est en outre publiée avec traduction, dans* Poèmes d'Amour des XIIe et XIIIe siècles *présentés et traduits par E. Baumgartner et F. Ferrand, U.G.E., 10/18, Paris, 1983, pp. 198-201.*
2. A. Wallensköld l'intègre en effet à sa section I intitulée « Chansons d'Amour ».
3. Chanson XLVIII, vers 16.

parvient en le tournant en réussite verbale et en faisant de cet impossible qui la borde le support même de l'œuvre. L'enjeu du départ que la chanson de Thibaut met en scène est dès lors la ''parole poétique''.

Notons d'ailleurs à propos du « jeu-parti » que la chanson de Thibaut se donne comme une partition entre la dame qu'il quitte et celle qu'il s'apprête à rejoindre. Ce couple représenterait ainsi, selon une suggestion de Charles Méla, le dédoublement nécessaire à l'articulation du « jeu-parti ». Pris « entre deux dames », l'amant de notre chanson serait dès lors l'image du poète qui, dans la structure du « jeu-parti », orchestre les voix antagonistes des deux partenaires qu'il met en scène.

Une « Amors » d'œuvre

Que la chanson d'amour ait un lien avec la parole poétique, il est possible de le voir dans les vers 17 à 20. Le « grant bien » accordé par « Amors » à l'amant n'y réside pas plus dans le fait d'aimer la dame (v. 19) que dans la manière de l'aimer, traduite par l'expression « sans vilanie » appuyée à la rime (v. 18).

Si la « vilanie » est une des notions générales qui exprime la négation de l'idéal courtois, n'oublions pas que dans les limites mêmes de la chanson, le mot fait écho au « vilain mautalent » (v. 11) de ceux qui éprouvent la séparation amoureuse comme une perte et tentent vainement de la rémunérer par une parole mauvaise (« dient *MAL* v. 11, « *MES*dire » v. 13) proche de celle des losangiers. Ici au contraire, le départ ignore cette hargne et ce « mal », il se fait « bonement » (v. 14). Et si ce « bonement », à quoi s'apparente sûrement la « bone amor[4] » du vers 35, vient faire écho inversé à la « mal-parole » des médisants, alors il suppose lui aussi une parole, mais une bonne parole cette fois-ci. En outre le mot « vilanie » est attesté vers le XIIIe siècle par le F.E.W. au sens de parole injurieuse et l'ancien provençal, dont on sait l'influence sur la littérature d'oïl, avait « vilonia » au sens de grossièreté ou d'insulte. Avec le « sanz vilanie » c'est encore, en creux, la parole qui vient s'inscrire comme son consubstantiel contrepoint dans l'orbe de l'amour.

Aimer ne va donc pas sans dire ; éviter de médire n'est pas non plus se priver de dire. Une parole y demeure toujours à la clef et, puisque le départ n'est pas pure perte, il faut

4. *La variante du manuscrit C donne d'ailleurs significativement* fine amor.

5. « Infans *dicitur homo primae aetatis ; dictus autem infans quia adhuc fari nescit, id est loqui non potest.* » Isidori Hispanensis Episcopi Etymologiarum sive originum. *W. M. Lindsay. Oxford 1971 (XI, 2, 9). L'extrême sensibilité de tout poète à l'étymologie que Quintilien nomme aussi l'« originatio », c'est-à-dire la force originelle ou originante qui renvoie tout mot au dynamisme de sa lettre première, semble soutenir l'« inventio » par-delà les siècles. « Dans le poème, chaque mot ou presque doit être employé dans son sens original », dit encore à ce sujet René Char. — En bref, il s'agit là, en remontant vers la prétendue source des mots, de réactiver l'énergie signifiante que leur origine (fictive ou non) est réputée contenir. Voir à ce sujet R. Dragonetti : ''Propos sur l'étymologie'',* Fabrica I.

6. *Roger Dragonetti.* Le Gai Savoir dans la rhétorique courtoise, *Paris, Seuil, 1982, p. 49.*

7. *Au sens où Francis Ponge l'entend lorsque, glosant la ''formule'' de Malherbe, « Dites-moi, ma Raison, si c'est chose possible/D'avoir du jugement et ne l'adorer pas », il écrit : « Mais cette raison, qu'est-ce, sinon plus exactement la réson, le résonnement de la parole tendue, de la lyre tendue à l'extrême. »* Pour un Malherbe, *Gallimard, Paris, 1967, p. 97. — Pour sûr en poésie, jeu de mots n'est pas jeu d'idiot, mais sollicitation de cette force irruptive qui vient jeter un trouble pluriel dans la paisible ordonnance des « mots de la tribu ». « Subtil », le texte a ses « dessous » que seule une écoute tendue vers la musicalité de la langue poétique permet de saisir.*

8. *A. Tobler, E. Lommatzsch,* Altfranzösiches Wörterbuch, *Wiesbaden, Franz Steiner Verlag, 1971, Bd. VIII, pp. 210-223 ; 1026.*
F. Godefroy, Dictionnaire de l'ancienne langue française et de tous ses dialectes du IXᵉ au XVᵉ siècles *; Paris, Emile Bouillon, libraire-éditeur, 1889, tome VI, pp. 567-569.*

9. *Comme me le faisaient remarquer J. Monfrin et P. Ménard à la suite de ma communication, le sens premier du vers 24 ne souffre pas d'ambiguïté. Sensible à ces remarques, je tiens à préciser qu'il ne s'agit bien sûr pas ici de nier le sens obvie du mot « reson » et du vers qu'il commande, mais seulement d'en souligner certains effets virtuels de « signifiance ».*

bien qu'elle lui tienne lieu de gain. N'est-ce pas ce que pourrait confirmer la figure d'enfant (v.7) à quoi risque de se voir railleusement assimilé l'amant, s'il ne s'en va pas ?

Isidore de Séville, l'illustre représentant de la tradition étymologique qui nourrit l'écriture médiévale, nous sert ici d'appui. Il dit : « L'homme en son premier âge est appelé enfant ; il est appelé enfant parce qu'il ne peut encore proférer aucune parole, parce qu'il ne sait pas parler[5]. » Tout se passe donc comme si l'écriture poétique de Thibaut faisait résonner dans le mot « enfant » son sens étymologique, d'ailleurs fréquemment articulé par la littérature médiolatine. Le silence de l'enfant, voilà bien la menace majeure dont l'amant se défend par son départ, comme si une trop grande proximité amoureuse empêchait l'émergence de la parole.

Il y a plus encore. Le départ se fait amorce du chant, et d'un même geste la chanson d'amour énonce les principes conjoints d'un art d'aimer et d'un art de ''trouver'' (*ars amandi* et *ars versificandi*). Seule l'œuvre poétique témoigne en fait de l'amour de l'amant-trouvère. Ainsi, l'amour de la dame se noue à l'amour de l'œuvre et, comme l'écrit R. Dragonetti : « [...] la chanson d'amour n'apport[e] pas d'abord le message d'une nouvelle conception de l'amour fondée sur le culte de la femme, mais inaugur[e] une pratique poétique dont l'enjeu n'[est] rien de moins que l'amour de la langue maternelle dont la poésie mérit[e] à bon droit d'être appelée langue d'Amour[6]. »

Arrêtons-nous maintenant sur les vers 23 et 24 : « Quant par le gré ma dame m'en chasti, / Meilleur reson n'ai je a ma partie. » (Puisque c'est sur le gré de ma dame que je me châtie, je n'ai pas de meilleur motif à mon départ.) Limpide certes. Mais ne nous laissons pas leurrer par ce qui paraît raison. L'écriture poétique a aussi ses « résons[7] » à quoi trop souvent la sèche raison du lecteur met le bâillon. Il n'y a d'ailleurs rien là que Ponge invente de toutes pièces. Il a seulement prêté une sûre oreille à l'ancienne langue et déployé dans son écriture ce qu'attestent pour nous, certes moins poétiquement, les dictionnaires[8].

Si la « reson », de « ratio », signifie ici le motif (ce qui met en mouvement) ou la cause, ce même mot peut aussi signifier tout ce qui a rapport au discours et plus précisément la « composition poétique[9] ». C'est ce dernier sens que convoque Robert de Blois, contemporain de Thibaut de

Champagne, lorsque parlant des « losangiers » il dit dans une chanson : « Trop bien sevent polir en leur reson » (Ils savent trop bien polir leur discours[10]). Dès lors se précise le « chastiement » en quoi consiste le congé signifié par la dame à l'amant : il est le ressort du « truevement », dc la trouvaille poétique sous forme de « reson ». La variante « meillour reson *N'I TRUIS* a ma partie » adoptée par trois des manuscrits en appelle d'ailleurs explicitement au « trover », mot qui justement gouverne toute l'« inventio » médiévale.

La séparation ouvre donc le champ à une parole amoureuse qui se fait musicale « re-son » (comme renouveau du son). Car tout se passe comme si derrière le sens obvie de « reson » (Grund) se profilait son deuxième sens (Rede), de même que celui de son homonyme dans l'ancienne langue, le « reson[11] », de « sonus » le son, ce qui retentit et résonne. Le chant d'amour trouve ainsi à se déployer dans la distance séparatrice qui crée l'espace nécessaire à sa résonance. Seul l'écart creusé par une mise hors saisie de l'objet convoité peut en effet relancer la parole poétique. D'autre part, seule une épreuve ouvre l'accès à la *fine amor* qui comme « art d'aimer » contraint tout bon amant à « se chastier » (v. 23). (Là, selon l'adage un peu remanié, qui aime bien est tenu de bien se châtier.)

La formule de cet « art d'aimer » ne s'exprime pas ailleurs que dans le jeu serré d'une écriture qui en invente à chaque fois les règles. Il n'y a de « lois d'amour » que dans et par la langue musicale de la chanson dont seul l'extrême raffinement assure la rythmicité[12]. « Fine », la langue poétique ne l'est qu'une fois assujettie à ce « chastiement » par quoi seul peut advenir la « joie » que communique au poète la perfection formelle de sa langue d'amour. « Se chastier[13] » s'entend dès lors comme le geste « épuratoire » à quoi l'amant-trouvère soumet sa parole. Horace déjà l'entendait de cette oreille lorsqu'il encourageait les Latins à polir le poème (*castigare*) jusqu'à dix reprises de sorte qu'il n'ait rien à envier à l'ongle le mieux coupé[14].

Le châtiment réclamé par « Amors » et la dame au poète est donc exigence de dépassement. En cela il est l'emblème de cette ascèse qui pousse l'écriture de la *fine amour* à s'épurer jusqu'à sa perfection « vibratoire ». Dépossédé, « parti bonement », à l'inverse des « losangiers medisanz », le poète qui se retranche, creuse le vide et la distance dans la « retrempe » d'une langue qui à elle seule suscite tout son amour. C'est cela même que nous signifiait le troubadour

10. *Cité d'après Roger Dragonetti, op. cit. p. 63.*
11. *Notons que la forme de l'épithète du mot « reson », l'adjectif « meillour », identique au cas régime masculin et féminin singulier, autorise ce glissement. A cette même famille appartient d'ailleurs plus loin dans la chanson le mot « sonet » (v. 32). On peut se souvenir là aussi de la chanson I « Por conforter ma pesance/Faz un son » dont les jeux d'échos se fondent sur un enchaînement impressionnant dont voici quelques maillons : son, Jason, toison, reson, prison, raençon, acheson, façon. Voir à ce sujet le séminaire de R. Dragonetti : "La Chanson courtoise des trouvères lyriques du XIIe et du XIIIe siècles" (Eté 1984).*
12. *Dans leur effort de codification de la langue poétique, les « Leys d'Amors » (les lois d'Amour) qui constituent une grammaire ou une poétique de la lyrique courtoise des troubadours en témoignent, eux dont la nature est d'exprimer en claires règles ce qui pour être diffus et implicite dans les chansons antérieures n'en régit pas moins secrètement l'écriture.*
13. *Si comme le propose justement C. Méla rompu à susciter « l'éclair de certaines connexions », « un texte médiéval ne se lit jamais seul ». (La reine et le Graal, Paris, Seuil, 1984, p. 94), on ne manquera pas de reconnaître ici dans les mots « vilanie » et « chastier » ceux qui dans Le Conte du Graal soutenaient l'enseignement de Gornemant de Gorhaut (v. 1655, 1681) et allaient laisser Perceval sans mot devant le Cortège de Graal (v. 3206-3211, éd. W. Roach, Genève-Paris, Champion-Minard, 1959).*
14. *« [...] Vos, O/Pompilius sanguis, carmen reprehendite, quod non/multa dies et multa litura cœrcuit atque/praesectum deciens non castigavit ad unguem » (O vous, sang de Pompilius, blâmez le poème que de longs jours, que de multiples ratures n'ont pas élagué, n'ont point poli à dix reprises, jusqu'à défier l'ongle le mieux coupé). Horace, Epîtres, éd. François Villeneuve, Paris, Les Belles-Lettres, 1967, pp. 217-218.*

Bernard Marti lorsqu'il chantait : « C'aissi vauc entrebescant / Los motz e.l so afinant : / Lengu'entrebescada/Es en la baizada. » (J'enlace les mots et j'affine la mélodie, comme la langue est enlacée dans le baiser[15].)

« L'esloignance »

Que le service amoureux et l'activité poétique se conjuguent dans le geste même de l'amant-trouvère qui chante poétiquement l'amour et amoureusement la (langue de) poésie, Thibaut de Champagne nous le rappelle ici par la mise en regard de la séparation (la « partie ») et du « jeu-parti ». Penchons-nous sur la formule même qui associe les deux termes et qui en ébauche le loi commune.

Soient les vers : « Plus tost *AIME ON* en estrange contree, — /Ou on ne peut ne venir ne aler, /Qu'on ne *FET* ce qu'on puet toz jorz trouver » (v. 37-39). Nul doute qu'il ne s'agisse là de l'expression d'une « loi d'amour ». Pour y éviter la reprise d'« aimer », « faire » comme verbe suppléant lui sert de relais sémantique dans le second terme du tour comparatif. Il y signifie certes aimer, mais il n'en perd pas pour autant le sens du « faire poétique » que lui attribuait la strophe précédente (v. 31). Et ce d'autant plus qu'il s'y étaie de la présence révélatrice du « trouver » que jusqu'ici seule une variante avait glissé dans le texte (v. 24). Autant dire que dans le processus de relais, c'est tout le faisceau des valeurs sémantiques du verbe « faire » qui se trouve réactivé et projeté ainsi sur le verbe « aimer » ; la réciproque étant aussi valable.

En outre, liées dans un rapport spéculaire, les activités d'« aimer » et de « faire » portent sur un objet qui se dérobe. C'est en effet une double impossibilité qui supporte leur existence : l'« inatteignable » et l'introuvable — le lointain, celui de l'« estrange contree », n'a là d'égal qu'une chose qui, en sa rareté, ne se peut « toz jorz trouver ». En d'autres termes, amour et poésie ont pour principe un manque que la langue du poète embarrassé pour le dire spatialise et nomme ailleurs « esloignance ». Variante champenoise du provençal « amor de lonh » (ou amor de terra lonhdana) l'« esloignance » (« amour d'estrange contree ») serait ici la loi commune à amour et écriture. Par la distance qu'il crée, le départ d'amour (la partie) devient dès lors l'emblème de l'écart qui se creuse dans la pratique de toute parole poétique. En son rapport privilégié au langage, le poète sait déjà

15. Les Poésies de Bernard Marti, *éd. Ernest Hœpffner, Paris, Champion, 1929, p. 11.*

103

que la division et le renoncement marquent nécessairement l'accès au symbolique et, qu'après tout, parler implique cette rupture inscrite dans le mot *SIGNE* dont le verbe *secare* est, selon Ernout et Meillet, le plausible étymon. Pour qu'elle advienne au langage il faut donc que la chose se perde ou s'absente. Tout au moins qu'elle se tienne à distance. L'anonyme auteur de la « vida » de Jaufré Rudel l'a compris, lui qui dans son bref récit nous propose une lecture romancée, presque limpide, de l'« amor de lonh » — seul élément qu'il semble retenir de l'œuvre lyrique du troubadour.

Selon lui, Jaufré s'éprend, sans l'avoir jamais vue, de la comtesse de Tripol à laquelle il dédie de nombreux poèmes jusqu'au jour où, cédant au désir de la voir, il prend la mer. Au terme d'un voyage difficile sa dame le rejoint et, au moment de la voir, il succombe entre ses bras. Tout se passe là comme si une fois franchie la distance qui le sépare de son amour, le poète, muet, n'avait plus qu'à mourir. La « vida » révèle donc en négatif l'incidence du lointain (lonh) sur l'amour qui anime le poète. Sans un vide pour en assurer la permanence le désir fléchit et s'annule. Il en va de même pour l'écriture poétique qui, elle aussi, se soutient d'un vide qu'elle dit sans jamais le combler. N'est-ce pas là ce que nous suggéraient bien avant Flaubert et son « livre sur rien » Guillaume IX d'Aquitaine qui annonçait un vers sur le « rien absolu » (« Farai un vers de dreyt rien ») et Marcabru qui, comme poète, se proclamait « châtieur du rien » (« De nien sui chastiaire ») ?

« L'absente de tous bouquets »

N'étant pas poète, la critique a rarement su que faire de ce « rien ». Apparemment troublée par le « vide », elle s'est acharnée par tous les moyens à le réduire ou le combler. A souvent servi à cela l'« a priori chrétien » que Leo Spitzer[16] considère comme la clef de lecture et qui, selon lui « informe toute cette poésie ''mondaine'' des Provençaux ». Cette lecture pourrait nous conduire à voir d'emblée derrière le « Celi » la Vierge Marie[17].

Quelques indices pourraient à la rigueur donner le ton et autoriser cette identification : la triple évocation de Dieu (v. 3, 27 et 41), le verbe « aourer » (d'ailleurs nullement circonscrit à un emploi religieux puisqu'il exprime fréquemment le mode de relation du trouvère à sa dame) et enfin, la capitale du mot « Celi » adoptée par l'éditeur[18].

16. Leo Spitzer. ''L'Amour lointain de Jaufré Rudel et le sens de la poésie des troubadours'' dans Etudes de style, Paris, Gallimard, 1970, p. 106.
17. Plus proche de nous, c'est au risque de cette interprétation par trop tranchée qu'E. Baumgartner et F. Ferrand exposent la chanson de Thibaut de Champagne qu'elles publient dans leur anthologie sous la rubrique ''Chansons à la Vierge''. Sans écarter cette lecture qui mériterait développement, nous adoptons ici une autre perspective.
18. Il faudrait sur ce point entre autres consulter l'ensemble des manuscrits.

Même s'il en allait ainsi, il ne faudrait pas s'arrêter là. En effet, à examiner de plus près le rôle que joue la Vierge dans les chansons qui lui sont explicitement consacrées comme par exemple la chanson LVII « Du Tres douz non a la Virge Marie », on constate qu'elle y est tenue pour le paradigme de la dame courtoise inappropriable. C'est, dans la droite ligne des pratiques ''abécédaires'', à une épellation poétique des lettres du nom de Marie que se livre Thibaut ; il substitue à la radicale absence du corps maternel de Marie le corps verbal de son nom.

Objct dc culte, ses cinq lettres s'entendent dès lors comme « lettres d'amour ». Ainsi c'est en amour de la langue[19] que se mue l'amour de Marie comme divinité. Par là même, cet art de « trouver » « [...] ressemble à une liturgie pratiquée à l'écart de toute dogmatique chrétienne, par où nous entendons que si le poète de la fin'amor ne cesse d'utiliser des métaphores chrétiennes c'est à seule fin de dissimuler, sous la couleur de la dévotion religieuse, le dieu sans nom d'un autre culte[20] ». Plutôt que de céder à ce penchant identificatoire qui ne manque pas de réduire la dame courtoise, soit à une entité biographique, soit à une transparente allégorie, laissons-nous porter par la lettre du texte.

Quel est le nom de cette dame ?

A proprement parler elle n'en a pas, puisque c'est sous les espèces d'un tenant-lieu, le pronom démonstratif « Celi » qu'elle accède au texte. Loin de la nommer, le démonstratif la réfère à un nom en l'occurrence absent du texte ; comme « représentant[21] », ici, de l'irreprésentable, il la laisse à son indétermination et pointe alors vers ce qu'en son essence elle a d'irréductible. Le texte poétique va même plus loin. L'innommable n'étant pas en poésie un obstacle à la parole, n'est-ce pas en l'absence du nom de la dame (anthroponyme), le démonstratif lui-même qui, promu au rang de « senhal », lui donne une apparence d'identité ? Pris à titre de signifiant dans la langue et ses résonances, le « Celi » (tout comme sa variante « Cele ») fait retentir, là où on attendait l'épaisseur d'une personne réelle, le mot « celer » (cacher, passer sous silence), un peu comme si paradoxalement la seule façon d'appréhender la Dame était, par le jeu de la langue, de la restituer à son secret.

Plus surnom poétique (pseudonyme ou prête-nom) que nom propre, le « Celi », la frappant au sceau de la dissimulation et de l'improférable, emporte dans ses effets de signifiance

19. Pour un développement plus ample de cette problématique, voir notre Gautier de Coincy : La Chanson mariale ou le discours à la puissance ivre, mémoire de licence, brochure photocopiée, université de Genève, 1982.
20. R. Dragonetti, op. cit. p. 50.
21. « Le pronom est un mot qui souvent représente un nom, un adjectif, une idée ou une proposition exprimés avant ou après lui : [...] », Maurice Grevisse, Le Bon Usage, Gembloux, Duculot, 1980, p. 524.

la dame qu'il est censé désigner. A jamais « absentée » dans un nom qui est son tombeau (cénotaphe), la dame absolument Autre demeure en puissance d'énigme et le poète à sa manière, comme plus tard Maurice Scève, d'inlassablement répéter : « [...] je te cele en ce surnom louable/Pource qu'en moy tu luys la nuict obscure[22]. »

En son radical retrait la dame de la chanson est donc toujours un peu cette Eurydice (Eur-dike) que Rémi d'Auxerre interprète comme la « profunda inventio[23] » — énigmatique en sa distance mais essentielle à toute écriture. Ne pouvant s'approcher d'elle (intime et étrangère) que sur le mode de la perte et du lointain, Orphée[24], le poète à « la voix d'or » ne cesse pourtant pas — inépuisablement — d'y tendre : il sait que « Quant l'absolu de la séparation s'est fait rapport, il n'est plus possible d'être séparé[25]. »

Pierre-Marie Joris

22. Delie *LIX, Œuvres poétiques complètes, éd. Guégan, Paris, Garnier, 1927, p. 24.*
23. *L'art musical même, en ses principes les plus profonds dit-il encore. « Ipsa ars musica in suis profundissimis rationibus Euridice, dicitur... »* Remigii Autissiodorensis Commentum in Martianum Capellam *Libri I-II, éd. C.E. Lutz, Leyden, Brill, 1962, p. 310.*
24. *Rémi d'Auxerre interprète son nom comme « orios phone », c'est-à-dire « pulchra vox », la belle voix.*
25. *Maurice Blanchot,* L'Entretien infini, *Paris, Gallimard, 1969, p. 287.*

Thibaut de Champagne et Gace Brulé.
Variations sur un même idéal

Cette communication se propose d'examiner l'influence des chansons de Gace Brulé sur celles de Thibaut de Champagne[1]. Thibaut possède, en effet, une connaissance singulièrement approfondie de l'œuvre de son devancier, comme tentera de le prouver un bref aperçu des emprunts qu'il lui a faits — réminiscences ou plutôt citations[2]. Mais Thibaut ne se contente pas de citer les vers de Gace, il les glose ; si fascination il y a, elle n'est pas passive et l'on pourrait dire, quoique les deux trouvères partagent en gros le même idéal de *Fine Amour*, que Thibaut a répondu à sa manière à certaines interrogations que Gace avait laissées pendantes, et la réponse apporte parfois une sensible variation.

Citation de Gace Brulé dans les chansons de Thibaut

C'est parfois à la faveur d'une rime identique que la citation naît sous la plume du roi de Navarre :

> « Dame, en la vostre baillie
> Mon cuer et mon cors outroi,
> Por Deu, ne m'ocïez mie. » (Ch. VI, st. 5, v. 33-35.)

avait chanté Gace ; et Thibaut de reprendre :

> « Dame, en la vostre baillie
> Ai mis mon cors et ma vie
> Por Deu, ne m'ocïez mie ! » (Ch. VIII, st. 3, v. 17-19.)

La présence entre deux vers semblables d'un troisième qui joue le rôle de variation équivaut presque à un signe de connivence échangé avec le public. Parfois un seul verbe changera ainsi dans cette ratiocination de Gace sur la beauté de sa dame qu'il conclut :

1. *Les citations sont tirées de H. P. Dyggve,* Gace Brulé, trouvère champenois, éd. des Chansons et étude historique, *Helsinki, (mémoires de la Société néophilologique de Helsingfors, t. XVI), 1951, et* Les Chansons de Thibaut de Champagne, roi de Navarre, *édition critique, par A. Wallensköld, Paris, Champion, 1925.*
2. *Mon étude s'appuie sur le dépouillement exhaustif des chansons des trouvères mais il n'est pas question, dans l'espace exigu ici accordé, de donner mes "preuves" ; je reprendrai la question des influences de manière approfondie dans ma thèse (en cours).*

« Vostre valour et vostre courtoisie ;
Vostre cors gent que mes fins cuers n'oblie
Me fait souvent sopirer et doloir. »

(Ch. LVII, st. 5, v. 26-28.)

A son tour Thibaut évoque la beauté de sa dame, ses « dits plaisants », ses « amoureux regards » qui

« M'i font souvent resjoïr et doloir »

(Ch. XIX, st. 5, v. 36),

affirmation à la fois plus joyeuse et plus précieuse.

Lorsqu'il choisit de changer un adjectif, il semble que Thibaut soit poussé par son sens musical : le très lumineux vers de Gace, « Bele et blonde et honorée » (Ch. XLVI, st. 3, v. 23), devient encore plus clair et plus fluide quand Thibaut le reprend sous la forme « Bele et blonde et colorée » (Ch. VIII, st. 2, v. 9).

D'ailleurs, toute cette chanson VIII de Thibaut semble placée sous le signe de Gace, tant y abondent les citations issues de diverses chansons du célèbre trouvère ; comme s'il désirait nous en avertir, Thibaut n'a-t-il pas choisi d'ouvrir son poème par le premier vers d'une chanson de Gace ?

« Por mal tens ne por gelée
Ne lairai que je ne chant. » (Ch. LXII, v. 1-2.)

Chez Gace Brulé, la nature offre souvent un simple prétexte à préluder sur l'amour ; Thibaut a récusé le thème de l'exorde saisonnier ; la reprise de ce vers apparaît donc plutôt comme la mise en scène de l'ouverture, la note d'accord de tous les thèmes de l'orchestre, destinée à donner le ton :

« Por mau tens ne por gelée
Ne por froide matinée [...]
Ne partirai ma pensée
D'amors que j'ai. » (Ch. VIII, st. 1, v. 1-2 et 3-4.)

Lecture de Gace par Thibaut : l'amour ne se déroule qu'à l'intérieur d'une pensée, « souvenir » et « aimer » sont là encore liés, il ne manquerait que « chanter » à la trilogie, mais si l'on se remémore le vers de Gace « Ne lairai que je ne chant », ce petit chaînon absent resurgit comme pour l'auditoire de jadis.

Dans cette poésie où chaque terme résonne à la fois de sa valeur propre et du poids de toute une tradition, le plus minime changement acquiert une importance extraordinaire. Thibaut opère de tels changements en deux sortes de circonstances : quand il s'agit d'affirmer la valeur, l'intensité, la beauté de l'amour, il renchérit sur son modèle, glissant entre les vers repris, des vers qui tiennent lieu de commentaire ou de diversion.

> « Car li desirs et la grant volentez
> Dont je sui si pensis et esgarez
> M'ont si mené... » (Ch. L, st. 1, v. 5-7),

écrit Gace ; Thibaut reprend ces vers en les renforçant :

> « Li souvenirs me fet morir d'envie
> Et li desirs et la granz volentez. »
>
> (Ch. XX, st. 4, v. 31-32.)

Cette citation de Gace clôt une strophe où notre roi se voit phénix jusqu'à en mourir ; notons que cette chanson XX débutait par une autre reprise, plus discrète, des mêmes vers de Gace :

> « Je ne chant pas com hons qui soit amez
> Mès com destroiz, pensis, et esgarez [...]
> Ainz sui toz jorz a parole menez. » (V. 5-6 et 8.)

La même raison fera remplacer un « Je fui faiz pour li amer » de Gace (Ch. VIII, st. 2, v. 12) par « Bien fui fez por li amer » (Ch. XXIV, st. 3, v. 21).

Plus souvent, Thibaut introduit une nuance qui va être la source d'un développement très différent et Gace lui offre ainsi une introduction à un nouveau thème ; or il s'agit à chaque fois de thèmes majeurs dans la poétique de Thibaut, comme je tenterai de le prouver par la suite. Ainsi Thibaut développe un :

> « Car en vos est ou ma mort ou ma vie »
>
> (Ch. LVII, st. 1, v. 10),

repris de deux vers de Gace :

> « Dame, ma mort et ma vie
> Est en vos que que die. » (Ch. XXVII, st. 6, v. 36-37.)

Outre la pointe précieuse qui mêle mort et vie là où Gace offrait un simple alternative, Thibaut introduit le thème fondamental de la parole.

Ailleurs, alors que Gace avançait une justification à sa conduite, Thibaut réutilise le même schéma métrique et presque les mêmes mots, pour évoquer, lui, l'omniprésent souvenir. Les vers de Gace :

> « Tuit mi desir et tuit mi fin talent
> Viennent d'Amors, c'onques ne seu trichier »
>
> (Ch. XXXVIII, st. 3, v. 15-16)

se transforment chez Thibaut en :

« Tuit mi desir et tuit mi grief torment
Viennent de la ou sont tuit mi pensé. » (Ch. XI, v. 1-2.)

Variation sur un seul adverbe : Thibaut délaisse le motif du « parage » d'une dame inaccessible qu'il a dédaigné, sans doute par souci de vraisemblance ; il introduit à la place le motif de la folie qui le préoccupe bien davantage. Gace écrit :

« Je ne di pas que nus aint bassement
Puiz que d'Amours est soupris et liiez. »
(Ch. XXXVI, st. 3, v. 15-16.)

Thibaut, de son côté :

« Je ne di pas que nus aint folement
Que li plus fous en fet melz a prisier. »
(Ch. IV, st. 5, v. 33-34.)

La variation sur un vers presque identique révèle ainsi à la fois divergence et accord :

« Mout a Amours grant force et grant pooir
Qu'encontre li ne se puet nus defendre
Fors anieuz... » (Ch. XIV, st. 2, v. 7-9),

constate Gace ; Thibaut garde un vers, et l'idée sous-jacente d'un amour inéluctable, mais il abandonne l'allusion aux *losengiers*, motif très mineur dans son œuvre, pour la remplacer, là encore, par le motif de la déraison :

« Mout a Amors grant force et grant pouoir
Qui sanz reson fet choisir a son gré. »
(Ch. XXIII, st. 3, v. 22-24.)

Je prendrai un dernier exemple pour clore cette liste qui n'est pas exhaustive. Gace affectionne tout particulièrement certaines formules, telles que : « Que ne puis aillors penser. » Dans sa très élégiaque chanson XII, Thibaut cite ce vers, mais en entremêlant les réminiscences de deux chansons de Gace où il se trouvait employé :

« Ha, las, moi l'estuet endurer [...]
Amors m'ont si pris et lïé
Que je ne puis aillors penser »
(Ch. LIX, st. 3, v. 7, 17-18),

soupire l'une des chansons ; Thibaut adoucit un peu cette plainte :

« Que tant est cortoise et sage
Que ne puis aillors penser. » (St. 1, v. 7-8.)

110

A la faveur de ce vers, il enchaîne alors sur l'autre chanson où Gace disait :

« Que ne puis aillors penser ;
Bien doi oblïer
Toute autre pensée [...]
Cist max me vient d'esgarder
Mout me grieve et me plait tant
Que n'en puis mon cuer oster
Ne n'os demander... »
                    (Ch. LX, st. 1, v. 4-7 et st. 2, v. 10-14.)

Thibaut reprend « oublier », « esgarder », et un vers entier : « Mais n'en puis mon cuer oster. » Sa strophe se termine par une dernière citation, empruntée à la première des deux chansons citées :

« Se je pëusse oublïer
Sa biauté...
Et son tres douz esgarder...
Mès n'en puis mon cuer oster.
Espoir s'ai fet grant folage
Mès moi l'estuet endurer. » (St. 2, v. 9-10 et 13-15.)

Il a remplacé « Ne n'os demander » de Gace par « Ne je n'ose a li parler ».

Cette amicale familiarité avec laquelle Thibaut traite l'œuvre de son aîné n'empêche pas l'admiration ; elle est particulièrement remarquable dans un débat où Thibaut rêve qu'il se mesure à Amour. L'irascible divinité l'apostrophe avec véhémence, taxant de *récréantise* l'attitude de ce *fin amant* repenti. Le poète se défend mais il finit par capituler, au moment précis où Amour s'écrie :

« Mès en moi te fie [...]
Tost t'avrai guerredoné
Mès t'en ma baillie ! »
                    (Ch. XLVIII, st. 5, v. 34 et 39-40.)

Or ces mots proviennent directement d'une chanson de Gace Brulé qui, parlant de Loyal Amour, assurait :

« Si m'a en sa baillie [...]
Et qui en li se fie
Tost l'a guerredoné. »
                    (Ch. XVIII, st. 5, v. 43 et 45-46.)

N'est-il pas émouvant de voir que, pour faire parler Amour, Thibaut place dans sa bouche les termes mêmes de Gace, comme s'il s'inclinait devant la valeur reconnue du sentiment chanté par le petit seigneur de la Brie ?

L'influence de Gace sur Thibaut

Le monde de Gace Brulé

Par-delà ces citations, Gace Brulé a exercé sur Thibaut de Champagne une influence plus profonde qui se discerne à travers toute l'œuvre du roi : « figure rayonnante[3] » du lyrisme d'oïl, Gace possédait, en effet, une très riche personnalité poétique.

Entre autres critiques, Jean Frappier a mis l'accent sur l'aspect fatal de la passion décrite par Gace Brulé[4] ; ce trouvère, familier des cours de Champagne, n'aurait certes pas repris à son compte la hautaine protestation de Chrétien de Troyes qui récuse Tristan et Iseut et le philtre, symbole de leur amour. Gace connaît bien les troubadours ; or, s'il ne cite pas nommément Tristan, il ne s'attache guère non plus à magnifier le choix électif d'une dame parfaite entre toutes, comme il aurait pu le faire au souvenir de la lyrique d'oc. L'affirmation la plus fréquente chez lui, c'est « Amer m'estuet », et, si l'on considère les différentes variations qui affectent cet *estouvoir*, on aboutit à une sorte de douloureuse équivalence entre « servir-aimer-mourir ».

Il nous reste de Gace un unique jeu-parti et, précisément, il s'y demande si l'on doit oublier un amour qui ne sera jamais payé de retour. Pour Jean Frappier[5], il s'agit en fait d'un débat de soi à soi entre deux tendances opposées du poète. Le partenaire, un ''sire'', qui représente la tendance raisonnable, nous donne une excellente définition de l'amour vu par Gace :

> « Qu'est-ce, Gasse ? estes vous desvez ?
> Me volez vous afolatir ?
> Ceste amour que vous me loez
> Devroit tous li mondes fuïr.
> Tous jours amer et puis morir. »
>
> (Ch. LXI, st. 3, v. 17-21.)

Mais Gace ne se révolte presque jamais contre la douleur qu'il chante, contrairement à bien d'autres ; s'il lui arrive d'adresser d'amers reproches à la « fausse », il nous avertit dès l'exorde qu'il chante « En guise d'esgaré Qui ne sai ce qu'il va quérant » (Ch. LXI, st. 2, v. 8-9).

3. R. Dragonetti, La Technique poétique des trouvères dans la chanson courtoise, *Slatkine Reprints, Genève-Paris-Gex, 1979, p. 574.*
4. J. Frappier, La Poésie lyrique en France aux XIIe et XIIIe siècles, *Paris, C.D.U., 1966, 2e partie, p. 151.*
5. Ibid., *p. 157.*

De fait, le « plus méditatif des trouvères[5] », fort habile dans l'analyse psychologique, se dépeint souvent comme totalement perdu « esgaré », devant la violence de ce qui le submerge.

Dans ses chansons, l'espace se réduit à l'immobilité, lorsque l'amant ne sait « ne ou manoir ne ou fouir » (Ch. XLIX, st. 1, v. 6), ni « vers quel part aler » (*ibid.* v. 5). Tantôt c'est l'exil qu'il déplore, loin de la « douce Champaigne[6] », associée à la douce présence de l'aimée ; tantôt, au contraire, auprès de sa dame, il est renvoyé ailleurs, lorsque, dans l'unique chanson où il la fait parler, elle lui demande avec dérision : « Et quand donc partez-vous outremer ? » (Ch. LXV, st. 3, v. 21.)

Perdu « entre [son] cœur et [son] désir » (Ch. XV, st. 1, v. 5), il ne voit plus clair en lui même, ne sait plus « reconnaître la joie de l'ire » (Ch. L, st. 1, v. 8). L'amour devient un piège, le *broi*[7], où l'« esgaré » reste pris.

Comme l'espace, le temps subit une distorsion assez personnelle ; Gace insiste souvent sur l'épaisseur, la lenteur du temps écoulé à aimer ; et, bien qu'il affirme ne pas « aimer comme un homme de [son] âge » (Ch. IX, st. 2, v. 10), *traveillié*, torturé, « trop longuement », « depuis longtemps », ou « depuis toute sa vie[8] » déjà écoulée, il aime « d'amour qui trop dure » (Ch. X, st. 1, v. 7).

Mais, tout comme l'espace était piège où l'amant restait immobilisé, le temps semble s'être arrêté depuis ce « dous termine premier » où sa dame lui accorda un baiser, et peut-être davantage, car il y eut un moment originel où l'amour « [lui] fut donnée[9] », mais presque aussitôt lui fut retiré.

Le seul mouvement qui affecte les chansons de Gace, c'est celui de la roue de Fortune et comme le trouvère, à la suite de troubadours, chante une dame de « plus haut parage » que lui, il ne cesse d'espérer être porté de « bas en haut », de sa présente humilité à la hauteur de ce qu'il désire[10].

Il est possible d'interpréter en ce sens une des très rares images qui se trouvent chez Gace Brulé :

« Dedenz mon cuer monte treille
Toute preste de flourir... »

(Ch. XXXIII, st. 5, v. 41-42.)

Cet élan d'amour, dressé vers un idéal à la floraison indéfiniment reculée, Gace en reprend la métaphore ici et là mais toujours il insiste sur la racine : l'amour lui est « au cœur

5. Ibid., *p. 157.*
6. *Ch. I, v. 4.*
7. *Ch. IX (appendice), v. 28.*
8. *Ch. V, v. 5 et 43 et ch. XLV, v. 1.*
9. *Ch. I, st. 2 et 3 (baiser) et ch. XLVI, v. 33 et 35.*
10. *Ch. XXXIII, v. 31-36 et ch. XXXVI, st. 2.*

enraciné », il y a « enraciné[11] » sa vie et cette racine plonge jusque dans l'extrême jeunesse de celui qui a toujours aimé, il l'a « apris d'enfance » (Ch. XXIX, st. 6, v. 44).

Mais, à revenir sur les temps premiers, il semble bien dans la cruelle lumière du présent qu'ils n'étaient que tromperie, erreur du cœur « déçu », abusé. Topiquement, Gace souligne cette déception de l'adverbe *mar* qui fonctionne avec le verbe « voir[12] » : malheur d'une vision qui n'engendre que « decevant martyre[13] ».

G. Lavis, dans son étude du réseau lexical *Joie-Dolor*[14], note que chez Gace, « joie » et « mort » fonctionnent en couple quasi indissociable. Mais qu'y a-t-il de plus improbable que la joie ? Et parmi les trouvères, en est-il un seul qui pousse assez loin l'accent tragique pour appeler la mort de ses vœux, supplier Dieu de lui donner « d'en jouir » et « le plus tôt possible[15] » :

« Ha, Dex, car m'i fetes morir
Quant n'ai ce qui m'agree,
Mort, pren moi, plus nel puis sosfrir. »
                    (Ch. LXIII, st. 2, v. 10-12.)

La mort ne vaut-elle pas mieux qu'une telle vie de deuil ?

« Mainz aim tel vie que morir. »
                    (Ch. XVI, st. 2, v. 16.)

Cette tristesse existentielle de Gace, deux moyens servent à la conjurer : si paroxystique que soit l'amour, le poète affirme qu'on ne peut l'éprouver assez fort[16] ; il est ce qui donne sens à la vie : « Bele por cui j'aim ma vie » (ch. LV, st. 3, v. 17),

et surtout la conviction que le sentiment ennoblit tout être qui l'éprouve ; non seulement, il hausse l'amant à la hauteur de plus noble que lui, mais il le virilise paradoxalement, faisant de lui le héros ou le chevalier de cette nouvelle sorte de croisade :

« Humilitez est m'espee et ma lance. »
                    (Ch. XLVIII, st. 3, v. 23.)

La valeur se concrétise enfin dans les « bonnes chansons », les chansons réussies que l'amour inspire et que Gace revendique pour siennes, avec toute la tranquille assurance de qui connaît son talent.

11. *Ch. XXII, v. 34 et ch. XLVII, v. 7.*
12. *Ch. XXXIII, v. 30.*
13. *Ch. I., v. 40.*
14. *G. Lavis*, L'Expression de l'affectivité dans la poésie lyrique (XIIᵉ et XIIIᵉ siècles). Etude sémantique et stylistique du réseau lexical Joie-Dolor, *Paris, Les Belles-Lettres, 1972, pp. 322-323.*
15. *Ch. XVI, v. 6-7.*
16. *Ch. XX, v. 18 et ch. XLII, v. 12.*

La réponse de Thibaut de Champagne

Thibaut n'est pas resté insensible à une doctrine aussi fermement établie par un poète qu'il aimait. Que l'aspect inéluctable d'une telle passion ait suscité en lui un certain trouble, le choix des citations le montre déjà : « Bien fui fez por li amer » ou encore « Ensi m'estuet sosfrir ma destinee[17] ».

On en retrouve aussi trace dans la chanson IX qui traite de la *départie d'Amour*. Libéré, l'ex-amant ne court plus le risque de celui que l'amour « ne laisse » « Ne bien choisir ou mete sa pensee ». Et Thibaut de poursuivre :

> « Plus tost aime on en estrange contrée
> Ou on ne puet ne venir ne aler. » (St. 5, v. 35-38.)

On retrouve ce vers dans l'œuvre de Gace[18]. Dans la chanson IX, Thibaut juge cette attitude « une folie esprouvée ».

Mais dans d'autres chansons, n'est-ce pas aussi à la passion fatale qu'il pense, lorsqu'à l'issue d'une des strophes les plus douloureuses qu'il ait écrites, il redoute d'être de ceux « Qui aiment deseur leur pois » (Ch. XVII, st. 3, v. 36) ?

Thibaut a aussi ressenti comme pénible l'impuissance qu'impliquait le service d'un amant plié au bon vouloir d'une dame capricieuse ; si Gace se dit « esgarez », Thibaut se proclame « chaitis » et l'image de la prison est une des plus fréquentes de sa poésie. Elle est, en outre, renforcée par un nombre très important d'occurrences de la formule « Ne puis » qui affecte tous les domaines de la vie et ceux de l'amour décrit.

Toutefois Thibaut a dépassé la problématique telle qu'elle se trouvait exposée chez Gace : à l'énoncé des règles de la *Fine Amour*, il substitue souvent une interrogation sur la nature de l'amour, seulement esquissée chez Gace. Les deux poètes décrivent sans cesse les effets de l'amour mais Thibaut s'interroge aussi sur « son nom », ses « coutumes », les « siens ». S'abandonner au sentiment, est-ce « sagesse », est-ce « folie » ? Pourquoi tant rechercher ce « doux mal[19] ? » Et quand on le définit enfin comme « sanz raison », on ne sait jamais si le poète veut dire par là que l'amour transcende tout discours ou qu'il participe d'une autre sagesse, ce que Thibaut appelle justement « autre raison[20] »...

Gace ne rejette pas sur la dame la responsabilité de son échec ; il en accuse les *losengiers*, c'est-à-dire que le monde extérieur est défini comme tout entier hostile. L'amour de Tristan n'a-t-il pas comme corollaire inévitable l'opposition

17. *Gace, ch. VIII, v. 11-12 et Thibaut, ch. XVI, v. 18 et ch. XXIV, v. 21.*
18. *N'os venir vers vos ne aler (ch. LVII, v. 44).*
19. *Cf. notamment ch. XXX, v. 1-2, ch. XXII, st. 2, ch. XXVIII (st. 1, 2, 3), ch. XVIII, v. 19 et ch. II (st. 1).*
20. *''Sanz reson'', ch. II, v. 19, ''autre reson'', ch. XXIII, v. 14 et ch. XX, v. 39.*

de la société qui ne peut le tolérer ? Chez Thibaut, on n'intervient guère entre les deux membres du couple et, par courtoisie envers la dame, dans les reproches, elle cède la place à Amour.

Néanmoins, l'idéal de Thibaut ne s'est peut-être pas tant concrétisé dans la figure de Tristan que dans celle de Lancelot, auquel sa chanson VII fait une allusion presque assurée. Cette hypothèse pourrait être corroborée par son amour légendaire pour Blanche de Castille, suivant un processus bien connu de ceux qui ont étudié les *vidas* des troubadours. En ce sens, on pourrait rapprocher les crises de folie qui secouent Lancelot et l'importance de ce thème chez Thibaut.

Comme Thibaut ne cache pas un certain mépris pour autrui, quitte à critiquer âprement les mauvais poètes, et qu'il n'a pu décemment jouer le rôle de l'amant humble, c'est la malchance qui est invoquée pour expliquer l'échec de l'amour. Thème déjà présent chez Gace, mais qui va se renforçant avec le XIIIᵉ siècle : en témoigne le très beau poème qui a pour refrain « J'ai a nom mescheanz d'amors ». « Je fui nez en descroissanz », se lamente le poète. Thibaut lui aussi opère un rapprochement significatif entre « Bonne Aventure » et « Fol espoir », « Desperance » et « Mescheoir ». C'est pourtant l'espoir que revendique notre poète et tant pis s'il est folie :

« Pour ce fet bon de la folie avoir
Qu'en trop grant sens puet il bien mescheoir. »
(Ch. XI, st. 3, v. 20-21.)

Qu'importe que l'espérance soit parfois un *broi* ; image reprise à Gace, elle est ce ''pou de refui'' qui permet de vivre[21].

R. Cormier et M. Dolly assurent que « les trouvères composent des chansons plus variées que celles de Thibaut [...]. Comme lui, ils chantent les joies d'un amour impossible, mais ils ne chantent pas exclusivement les misères d'un amour impossible[22]. »

Cette phrase, que je trouve injuste, s'appliquerait moins mal à Gace Brulé, comme le démontrent les critiques en question dans leur article qui porte sur le rôle du souvenir chez Thibaut. Gace évoque généralement un souvenir fixe, attaché à un moment unique du passé ; Thibaut, au contraire, lie intimement souvenir et vision :

21. Ch. XXIX, v. 30.
22. M.-R. Dolly et R.-J. Cormier, ''Aimer, souvenir, souffrir, les chansons de Thibaut de Champagne'', in Romania, 1978, pp. 311-346, surtout p. 331.

« Bien ai en moi remembrance
A compaignon
Touz jorz remir sa semblance
Et sa façon. » (Ch. I, st. 5, v. 29-32.)

Le souvenir emprunte ici le modèle des religieux, abîmés dans la contemplation ; c'est que le poète jouit de la beauté, comme nous le montrent tant de métaphores qui associent la dame et la lumière ou l'été. Merveilleuse est la dame, parce que merveilleuse est sa beauté offerte à l'amant « esbahi » qui « s'oublie » à se la remémorer. Et quand, au lointain pays d'Outremer, il pense à elle à travers l'absence « main et soir », cette pensée-là se nourrit encore d'elle-même, et non tant du passé, et elle est bien la source de la Joie[23].

Mais la joie n'existe que d'être dite, chantée. Aussi, souvenir de l'éblouissement durable ou ardente souffrance d'un désir tout de flamme n'aboutissent-ils jamais qu'à l'unique chanson. Personnage doté de la parole dans les envois, la chanson apparaît en exorde comme une impulsion irrésistible, l'émergence à l'être de la joie. Chez Gace, la nature jouait souvent ce rôle. Mais Thibaut a remplacé la nature par tout un monde de symboles et d'allégories. R. Cormier et M. Dolly affirment encore que Thibaut use d'un langage très abstrait, plus que d'autres trouvères[24] ; de fait, l'abstraction ne prend pas le même visage chez Thibaut et chez Gace Brulé.

Gace n'emploie guère d'images, de métaphores ou d'adjectifs. Son chant évite la description. Thibaut est abstrait dans l'analyse psychologique, mais il tempère son style avec des images et, pour mieux comprendre les diverses instances qui se partagent son cœur, il les allégorise. Prémices du *Roman de la Rose*, voici que les métaphores de la chasse ou de la guerre envahissent la chanson pour animer Amour, l'« arc d'aubour », le bâton du champion, les réseaux et la glu pour piper les oiseaux, le « dart » encore dont Amour a blessé l'amant, au point de ne pouvoir retirer le fer, fiché en pleine chair[25]...

Voici à leur tour les symboles, issus des bestiaires, des lapidaires et aussi du roman : devenue cerf blanc, la dame fait signe d'un ailleurs, de l'aventure ; Narcisse ou Pirame, l'amant résume la fascination mortelle de Gace et ainsi la dépasse.

Si l'amour est un arbre, plein de fruits de la connaissance et le monde un verger[26], quel besoin de parler encore

23. *Ch. XIX, envoi.*
24. *Article cité, p. 333.*
25. *Ch. VI, st. 5.*
26. *Amour/arbre, ch. LVIII et ''verger'',*
ch. IV, v. 16.

d'autrui ? Cette façon de poétiser tout l'univers mental explique qu'on ait vu en Thibaut un précurseur de Charles d'Orléans, tandis que l'on rapprochait Gace de Maurice Scève ou Lamartine[27]...

Pour nos deux poètes, les mystères d'une dame incompréhensible et ceux de la souffrance ne font finalement que rejoindre un plus grand mystère qui est celui de toutes choses. Pour Gace, la nature — printemps enchanteur dont l'exorde stylise d'un trait la lumineuse transparence ou mélancolique arrière-saison qu'il fut le premier à chanter — ne compose qu'un seul paysage intérieur, soumis aux éternelles fluctuations : la douceur des mots concrétisée en la douceur d'une femme se heurtera toujours à la cruauté des actes, de l'autrui félon aux *contralies* de la Belle, sans que rien en vienne expliquer l'insoluble énigme[28].

Raidi dans sa douleur, Gace fait de sa résistance pathétique une éthique du dépassement. Plus sensible à la beauté du monde et aux merveilles de l'art, Thibaut n'est pas moins mélancolique mais il transmue le tourment d'aimer ou de vivre en une longue réflexion sur la poésie qu'épousent la courbe sinueuse de l'allégorie ou l'éclat des images précieuses ; chanter d'amour pour lui aboutit à une esthétique. Peutêtre est-ce là le secret d'une création si persévérante chez celui qu'on a appelé « le Prince de la féérie[29] » ?

Marie-Geneviève Grossel

27. *Thibaut/Charles d'Orléans : J. Frappier*, op. cit., p. 195 ; *Gace/Lamartine :* ibid., p. 159 ; *Gace/Maurice Scève :* Poèmes d'amour des XIIᵉ et XIIIᵉ siècles, éd. par E. Baumgartner et F. Ferrand, col. 10/18, Paris, 1983, p. 29.
28. *« Amour qui avez si dous nom/Porquoi fetes tel cruauté ? » (Ch. XLIV, v. 11.)*
29. *R. Dragonetti*, op. cit., p. 579.

Etienne Pasquier,
lecteur de Thibaut de Champagne

A la fin d'une journée consacrée à Thibaut de Champagne, journée où l'on a vanté les mérites du poète et mis en évidence les qualités et les charmes de sa poésie, parfaitement digne d'admiration, on peut se demander quelle raison nous pousse à nous intéresser à l'un de ses admirateurs en particulier : Etienne Pasquier.

Et pourtant, que l'on se rappelle la façon radicale dont Du Bellay, dans *La Deffence et illustration de la langue françoyse*, l'écarte du nombre des poètes dignes d'être lus : « De tous les anciens poètes françoys, quasi un seul, Guillaume de Lauris et Jan de Meun, sont dignes d'estre leuz[1]. » Cette méconnaissance de la vieille poésie française, qui rejette aussi bien Thibaut de Champagne qu'Alain Chartier ou François Villon, vaut que, par contraste, l'on étudie de plus près les raisons d'un admirateur de Thibaut et contemporain de du Bellay : Etienne Pasquier. Après avoir recensé les passages dans lesquels il cite le poète, nous y chercherons les raisons avouées de son adhésion, peut-être également des causes plus profondes, pour nous former une opinion sur la qualité, l'authenticité et la sincérité de cette admiration.

*

Etienne Pasquier était l'ami de Ronsard. Dans une lettre qu'il lui adresse en 1555, il se définit comme « celuy qui ne sera jamais marry que l'on sçache à l'advenir que Ronsard et Pasquier furent de leurs vivans amis[2] » et dans le livre VII, ch. X des *Recherches de la France*, il parle, en évoquant Ronsard, de « l'amitié que nous nous portions l'un à l'autre ». Dans une longue lettre[3], qui se situe dans le cours d'un échange entre les deux hommes sur le sujet de la poésie française, il écrit : « Je me contenteray seulement de vous dire qu'entre les Princes de la France, qui florirent en poésie sous la troisième lignée de nos Roys, nous devons faire grand estat d'un Thibaut, Comte de Champagne, lequel fit une infi-

1. *Livre II, début du ch. II.*
2. *Cf. D. Thickett*, Estienne Pasquier, choix de lettres sur la littérature, la langue et la traduction, *Genève, Droz, pp. 4-6.*
3. *Toutes nos citations d'Etienne Pasquier renvoient à l'édition des œuvres, à Amsterdam, Compagnie des libraires associés, 1723, 2 vol. La lettre à Ronsard se trouve au tome II, p. 37 et suivantes.*

nité de chansons amoureuses, en faveur de la Royne Blanche, mère de saint Louys, non pour une amour impudique qu'il luy portait, ains par honneur et pour se jouer de son esprit. J'en ay le livre par devers moy. » Et, il ne résiste pas au plaisir de citer de longs passages de poèmes dans sa lettre car, dit-il : « Et d'autant que tels vieux livres ne se laissent manier, sinon par ceux qui prennent plaisir à l'ancienneté, je vous veux icy réciter quelques beaux couplets de ce Comte, sans rien changer du langage, à fin que vous jugiez quel il fut. » Il cite alors dix vers qui commencent par « Cil qui d'amour me conseille... » puis huit dont le premier est : « De bien amer grand joye attend », ensuite huit autres commençant par le vers : « Tant ay amour servies longuement » et enfin une chanson entière de quarante-trois vers « Si j'ay longtemps esté en Romanie... » Dans les *Recherches de la France*, Etienne Pasquier revient, à diverses reprises, sur ce sujet qui lui est cher. Au livre VII, ch. III intitulé « De l'ancienneté et progrez de nostre poésie », il écrit du comte de Champagne[4] : « Et sur tous, nous devons faire grand estat du Comte de Champagne, lequel s'estant donné pour maistresse la Roine Blanche, mère de saint Louys, fit une infinité de chansons amoureuses en faveur d'elle... Et ores que je m'asseure qu'en cest amour il n'y eust qu'honneur entre eux (car cette grande Princesse estoit très sage) si est ce que pour ne rendre sa plume oiseuse, il en fait fort le passionné. » Il cite alors deux couplets de la chanson « Au rinouviau de la doulsour d'esté... » puis il reprend : « Cil qui d'amour me conseille... » déjà cité dans la lettre à Ronsard, répétition dont il se justifie en ces termes : « Dedans le premier livre de mes lettres, il y en a une que j'escris au seigneur de Ronsard... et y ay transcrit des chansons de luy [Thibaut] tout entières et encores un amas de belles paroles d'amour que j'avois, comme des fleurs recueillies de son beau jardin, lesquelles je ne douteray point de transplanter icy, parce que tel lira mes *Recherches* qui paraventure n'aura communication de mes lettres. » Il rapporte ensuite, au style indirect, tout un ensemble d'expressions de Thibaut qu'il a particulièrement appréciées, comme « quant il appelle en son vieux langage sa Dame sa douce amie ennemie, qu'il dit qu'Amour l'a toullu à soy-mesme, et néantmoins ne fait compte de le retenir en son service... que Dieu mist si grande planté de graces en elle, qu'il luy convint oublier les autres... qu'il a les beautez d'elle escrites en son cœur... et une infinité d'autres gentillesses d'Amour dont son livre est plein. »

4. *I, pp. 690, 691, 692.*

Au chapitre VI intitulé « De la grande flotte de poètes que produisit le règne du Roy Henry deuxiesme et de la nouvelle forme de poésie par eux introduite[5] », à propos du mot « sonnet » il copie sept vers d'une strophe qui, normalement, en contient huit et commence par : « Autre chose ne m'a amour méry. » Enfin, au livre VIII, ch. V, à propos des mots Dame, Sire, Seigneur[6], il donne, en exemple de l'emploi du mot *Sire*, le vers : « Bon Roy Thiebaut, Sire, conseillez moy », qu'il commente ainsi : « En ce vers, il l'appelle Sire comme estant Roy de Navarre, et en deux couplets précedens, il luy baille ce mesme titre comme simple Comte de Champagne et de Brie. » Suivent alors ces deux autres vers :

« Par Diex, Sire de Champagne et de Brie,
Je me suis moult d'un rien esmerveillé. »

Poursuivant ses études de vocabulaire, Etienne Pasquier en vient à s'intéresser, au ch. LXIV du même livre VIII[7] au mot *fin*, sur le sens duquel il s'interroge. Il évoque, là encore, les chansons de Thibaut : « Es chansons du Comte Thibaut de Champagne :

''Fine amour et bonne espérance
M'y ramène joye et santé.''

« Il dit fine amour au lieu de bonne, et, à peu dire, je ne trouve dans ce gentil Prince le *fin ou fine* pris en autre signification que pour *bon et bonne*. » Dans le *Pourparler du Prince*, le nom de Thibaut sera évoqué parmi ceux des grands hommes qui doivent renommée aux lettres.

On aura pu remarquer au passage qu'il y a de nombreuses erreurs d'attribution des poèmes cités. Or, il semble bien qu'Etienne Pasquier s'en soit douté mais il a allègrement balayé ces doutes, à la fin de sa lettre à Ronsard : « Du commencement que ce Livre tomba en mes mains, je doutois qui l'avoit composé ; comme de faict, il y a quelques-uns qui estiment qu'il soit faict de diverses pièces. Mais la générale œconomie, telle que je vous ay cy-dessus déduite, m'enseigne que c'est d'un seul autheur : et au surplus, je voy ce Prince si souvent nommé en des chansons, où il s'introduit parlant avecques uns et aultres, que je ne fais nul doute qu'elles ne soyent toutes de luy. » En fait, le livre que Pasquier avait entre les mains était sans doute un recueil de poésies courtoises et, contrairement à ce qu'il croyait, toutes n'étaient pas de Thibaut. Certaines des chansons citées dans la lettre à Ronsard ou dans les *Recherches de la*

5. *I, p. 702.*
6. *I, p. 771.*
7. *I, p. 879.*

France sont généralement reconnues comme étant dues à Gace Brulé, à un Thierry ou plutôt Raoul de Soissons ou au châtelain de Coucy. Finalement, de tous les vers cités par Pasquier, ne sont assurément de Thibaut que la strophe « Autre chose ne m'a amour méry », qui est la quatrième strophe de la chanson IX de l'édition Wallensköld (p. 28) dont Pasquier cite également la première strophe : « Tant ay Amour servies longuement » (éd. Wallensköld, p. 26) et les vers isolés : « Bon Roy Thiebaut, Sire, conseillez moy » (premier vers de la chanson XLIV, éd. Wallensköld, p. 152) « Par Diex, Sire de Champagne et de Brie, / Je me suis moult d'un rien esmerveillé » (deux premiers vers de la chanson XLIX, éd. Wallensköld, p. 169). Quant au poème cité le plus longuement : « Si j'ay longtemps esté en Romanie », on le trouve attribué à Thibaut dans l'édition Lévêque de la Ravalière[8] mais l'auteur précise : « Cette chanson n'était point dans les manuscrits que j'ai consultés, je l'ai tirée de la septième lettre du deuxième livre d'Etienne Pasquier qui l'a attribuée au comte de Champagne. Cependant Fauchet l'a donnée à Thierry de Soissons. » Et pourtant Claude Fauchet était un ami de Pasquier et partageait son admiration pour Thibaut[9] : « Car il fit les plus belles chançons et les plus délitables et mélodieuses, qui onques fussent oyes en chançons ne en instruments. » Comme nous ne trouvons non plus aucune trace de ce poème dans l'édition Wallensköld, il nous faut bien, en dépit de la minceur de notre moisson, l'abandonner. Et nous sommes dans la situation paradoxale, ayant choisi d'étudier les motifs d'admiration de Pasquier à l'égard de Thibaut, de voir disparaître une bonne partie des œuvres à considérer !

Quoi qu'il en soit, lorsqu'il recopie avec un plaisir évident des vers qu'il attribue à Thibaut ou quand il parle de lui, quels sont les éléments sur lesquels Etienne Pasquier fonde ses louanges ?

Tout d'abord, il apprécie de trouver en lui un grand seigneur cultivé. Il est très sensible à cet aspect de l'aristocrate lettré. Dans le *Pourparler du prince*[10], il approuve les princes amis des livres et après avoir parlé d'Auguste et des poètes qu'il protégea, il ajoute : « Et mesmement entre les nostres se lisent encore aujourd'huy les amours de Thibaut, Comte de Champagne et de Brie, par lesquelles (tout ainsi que par antiquailles et ruines, se découvre l'honneur de l'ancienne ville de Rome) aussi recognoist-on en luy combien furent nos Princes anciennement zélateurs des livres

8. Les Poésies du Roy de Navarre, *éd. Lévêque, sieur de La Ravalière, Paris, Guérin, 1742, 2 vol. cf. tome II, p. 144 a). Plusieurs des autres chansons, dont l'attribution à Thibaut est très douteuse, se retrouvent dans l'édition Huet des chansons de Gace Brulé de 1902.*
9. *Claude Fauchet*, Recueil de l'origine de la langue et poésie française, *Paris, Mamert-Patisson, 1581, cf. livre II, ch. XV, p. 119.*
10. *P. 1 022.*

et lettres » ; et, dans les *Recherches de la France* (livre VII, ch. III, p. 690) il revient sur ce thème : « Je vous diray que nostre poésie françoise ne se logea pas seulement aux esprits du commun peuple, ains en ceux mesmes des Princes et grands seigneurs de nostre France. Parce qu'un Thibaut de Champagne, Raoul Comte de Soissons, Pierre Mauclerc Comte de Bretagne voulurent estre de cette brigade ; quelques-uns y adjoustent Charles Comte d'Anjou, frère de saint Louis. » Peut-être espère-t-il ainsi dissiper une partie du mépris dans lequel certains de ses contemporains tiennent la poésie médiévale ? La mode étant à l'antique et à l'inspiration italienne, il va tenter de rehausser le mérite de son poète préféré en insistant sur la réalité de la dette italienne à son égard.

Dans le ch. IV du livre VII des *Recherches de la France*, il traite de la poésie provençale et montre que Pétrarque et Bembo lui doivent beaucoup. Comme il a été initié à la poésie italienne, à l'occasion de ce séjour studieux au cours duquel il fréquenta les universités de Bologne et de Pavie, par Thomas Sebillet, auteur de *L'Art poétique françoys*, il disserte sur les genres littéraires. Au chapitre VI du livre VII des *Recherches* (p. 702), ayant énuméré les poètes de son temps : Ronsard, du Bellay, Pontus de Thiart, Jodelle, Belleau, etc., il poursuit : « Auparavant tous ceux-cy, nostre poésie françoise constoit en dialogues, chants royaux, ballades, rondeaux, épigrammes, élégies, épistres, églogues, chansons, estreines, épitaphes, complaintes, blasons, satyres en forme de coq à l'asne. Pour lesquels Thomas Sibilet fit un livre qu'il appela l'Art poétique françois. » Et, constatant qu'à la place on a introduit les odes et les sonnets, il ajoute : « Les sonnets, que nous tirâmes des Italiens. Mot toutesfois qu'ils tiennent de notre ancien estoc, comme nous apprenons d'une chanson du Comte Thibaut de Champagne, qui estoit longtemps devant Pétrarque père des sonnets italiens. » Suivent alors les vers, qui, heureusement pour nous, sont bien attribués à Thibaut : « Autre chose ne m'a amour méry » qui s'achèvent sur ces mots : « (S'en oz je faire) et maint sonnet et mainte recoirdie » que Pasquier commente ainsi : « C'estoit à dire qu'il vouloit encore faire et recorder maintes belles chansons. Car, pour bien dire, et le mot d'ode qui est grec et celuy de sonnet ne signifient autre chose que chansons, combien que l'italien ait depuis faict distinction entre le sonnet et chanson. » Si son ami Thomas Sebillet se borne à dire à propos du sonnet : « Pource qu'il est emprunté par nous de l'italien[11] », en revanche, son autre ami, Claude Fauchet, plaide, comme lui, dans le sens d'une certaine dette italienne[12] : « Et qui voudra fueilleter nos vieils poètes, il trouvera dedans les mots dont les Italiens se parent le plus : voire les noms et différences de leurs rymes, sonnets, ballades, lais et autres. Quant au sonnet, Guillaume de Lorris montre que les Français en ont usé puisqu'il dit au Roman de la rose : Lais d'amour et sonnets courtois » et plus loin : « Si Pétrarque et ses semblables se sont aidez des plus beaux traits des chansons de Thiebaut Roy de Navarre, Gace Brulez, le Chastelain de Coucy et autres anciens poètes François... » En somme, pour ce qui est du sonnet, poème à forme fixe, la dette italienne se limiterait à l'emploi du mot, ce que semble aussi reconnaître le Littré qui, pour la partie étymologique, cite Pasquier et commente ainsi : « Italien *sonetto*. *Sonnet* vient de l'italien ; mais l'ancien français avait *sonet* au sens de chanson, chansonnette : XIIIe siècle ''Chantecler lors s'aseura, De la joie un sonet chanta'' Ren. Le provençal avait *sonet* au même sens. C'est sans doute de cet ancien *sonet* des Français et des Provençaux que les Italiens ont tiré leur *sonetto*[13]. »

Mais, pour Etienne Pasquier, la dette italienne envers Thibaut, c'est aussi l'idée d'écriture et de chanter ses amours, comme le feront plus tard d'abord les Italiens puis Ronsard, du Bellay et tous les autres. Il admire profondément en Thibaut ce poète de l'amour, dont il vante la passion, la « tendre imagination » selon les mots de Léon Feugère, les qualités d'expression dans ces « gentillesses d'amour » qu'il relève en vrac. Faut-il suivre Margaret Moore qui juge bien rudement que ces « belles fleurs » qu'il nous présente ainsi « ne sont aujourd'hui que des immortelles dont la première nouveauté est fanée et dont la précieuse artificialité ne plaît plus[14] » ? Il n'en demeure pas moins vrai qu'elles traduisent pour nous le goût d'Etienne Pasquier et une des causes du plaisir qu'il prend à lire la littérature courtoise.

*

Si l'on cherche les raisons plus profondes à cette prédilection qu'éprouva pour Thibaut Etienne Pasquier, il en apparaît deux, l'une de caractère assez particulier, l'autre de portée plus générale. Le choix du comte de Champagne qui, nous l'avons vu, semble beaucoup plus considéré que, par exemple, Charles d'Orléans, nous paraît tenir à la séduction du romanesque de sa vie telle qu'on la racontait encore au

11. *Thomas Sebillet* ou *Sibilet,* Art poétique françoys, *1548, éd. Félix Gaiffe, Paris, S.T.F.M., 1910. Le chapitre consacré au sonnet est très court (4 pages). Cf. p. 115.
12. Ibid. p. 47 et 49.
13. On peut, sur ce point, s'étonner de l'attitude ambiguë de certains dictionnaires étymologiques qui indiquent pour datation 1537 (Dauzat, Dubois, Mitterand) ou XVIe siècle (Picoche), sans tenir compte de l'emploi du mot dans Renart ou chez Thibaut de Champagne ou Guillaume de Lorris. Certes, ce n'est pas dans le sens précis du poème à forme fixe que nous connaissons mais il y a bien d'autres mots dont le sens a évolué ou s'est affiné après la première apparition. Il est à noter que le F.E.W., pour l'a. fr.* sonet : petite chanson renvoie à *Thèbes 1310 et pour* sonete : chant à 1280. Voir F. Rigolot, « Qu'est-ce qu'un sonnet ? » in *R.H.L.F., 1984, p. 3 et suiv.
14. Margaret J. Moore, Estienne Pasquier, historien de la poésie et de la langue françaises, *Poitiers, Société française d'imprimerie et de librairie, 1934, p. 61.

XVIe siècle. Cet homme noble, comte de Champagne et de Brie, que l'on disait amoureux et aimé d'une illustre reine, Blanche de Castille, mère de saint Louis ; cet amoureux condamné, par la vertu même de la femme aimée, à un amour platonique et qui va partir en croisade comme s'il cherchait à expier son péché d'intention, illustrait en sa personne et à la perfection le thème de la chanson d'amour triste. C'est bien ainsi que Pasquier semble le ressentir quand il présente son personnage dans la lettre à Ronsard : « J'en ay le livre par devers moy, sur le commencement duquel vous y verrez une description des ses passions : sur le milieu, il prend congé de sa maistresse, estant contraint, pour son devoir, de prendre le chemin de Jérusalem avec les autres Princes croisez : et sur la fin, il proteste de vouloir quitter l'amour et se réduire du tout à la volonté de Dieu. » On notera qu'à un destin aussi émouvant ne manque même pas la fin morale et édifiante, qui rassurait peut-être l'honnête avocat troublé par le récit d'amours princières et dangereuses. Il est clair que les critiques qui, depuis le XVIIIe siècle[15], ont contesté, avec des arguments solides, l'identification de la dame de Thibaut avec la reine Blanche, ont diminué considérablement le romanesque de ces chansons d'amour, mais, heureusement pour ses illusions, Etienne Pasquier ne le savait pas !

La seconde raison, de portée beaucoup plus générale, tient au patriotisme littéraire et linguistique de Pasquier. Né dans un siècle qui voit la langue vulgaire peu à peu promue au rang de langue noble, âgé de vingt et un ans au milieu de ce siècle, c'est-à-dire au moment où la langue nationale prend définitivement le pas sur les dialectes, Etienne Pasquier, élève de Ramus au collège de Presles, est entraîné dans le grand mouvement de réflexion linguistique du XVIe siècle. Comme ces grammairiens contemporains qu'il a lus, il croit à la qualité de la langue française. C'est pourquoi il va se lancer dans une grande entreprise d'histoire de la langue et de la littérature française. On l'accuse parfois d'avoir fait de la « linguistique patriotique[16] » et certains de ses titres peuvent paraître assez chauvins : « Que nostre langue françoise n'est moins capable que la latine de beaux traits poétiques » (ch. IX du livre VII des *Recherches*), ou encore : « Que nos poètes françois, imitans les Latins les ont souvent esgalez et quelquefois surmontez » (ch. X du même livre VII) mais il fallait bien alors en être convaincu pour participer au grand mouvement de promotion de la langue

15. *Lévêque de La Ravalière avait très sérieusement contredit cette thèse dès 1737, dans une plaquette intitulée :* Examen critique des historiens qui ont prétendu que les chansons de Thibaut, Roy de Navarre, Comte de Champagne et de Brie, Palatin, s'adressoient à la Reine Blanche de Castille, mère de saint Louis *et il la réimprima dans son édition des chansons de Thibaut en 1742.*
On s'accorde généralement depuis à cette opinion. Cf. Les Chansons de Thibaut de Champagne, *éd. Wallensköld, Paris, Champion, 1925, S.A.T.F., p. XV-XXI.*
16. *Margaret J. Moore,* op. cit., *p. 18.*

française quand l'autorité du latin était encore si grande dans le débat.

Au moins doit-on reconnaître à Etienne Pasquier la largeur de vue dans le panorama historique qu'il va s'efforcer d'ouvrir à son lecteur. En effet, en un temps consacré avec passion au culte de l'Antiquité et à la tradition italienne, il va, contrairement à beaucoup de ses contemporains parmi les plus illustres, s'attacher à l'idée de la continuité du développement poétique en France et s'intéresser à la vieille poésie en langue vulgaire. Il sait que son goût n'est pas partagé par du Bellay, par exemple et, dans le chapitre VI du livre VII des *Recherches*, il rappelle que dans le livre II de la *Deffence*, celui-ci « commande, par exprès, au poète qu'il veut former, de laisser aux jeux floraux de Tholose et au Puy de Rouen les rondeaux, ballades, virelais, chants royaux, chansons et satires en forme de coq à l'âne, et autres telles épiceries [ce sont ses mots] qui corrompaient le goût de notre langue et ne servaient sinon à porter témoignage de notre ignorance. » Au contraire, Pasquier prend plaisir à « l'ancienneté nationale », à ce riche héritage que forment l'ancienne littérature et la vieille langue française. Il a dit son amour des vieux livres, et l'abondance de citations dont il accompagne son exposé est pour lui un moyen d'en conserver et d'en diffuser le contenu à une époque où le livre est encore relativement rare et cher. Son originalité est d'avoir compris qu'en dépit des différences d'idées et de société, il pouvait y avoir dans un pays une continuité littéraire. Sa clairvoyance mérite l'éloge qu'en faisait Jean Plattard[17] : « Il fut du petit nombre de ceux à qui la superstition de l'Antiquité classique ne ferma pas les yeux aux mérites de notre passé littéraire. Nul plus que lui ne s'intéressa à nos traditions politiques et artistiques. »

*

Ainsi, nous pouvons être persuadés que l'admiration de Pasquier pour Thibaut était sincère. Elle se fondait peut-être sur un goût réel pour la poésie courtoise dans son ensemble mais avec cependant une préférence non dissimulée pour le comte de Champagne, poète chevalier à la vie passionnante et qui mettait ses amours en vers si joliment. En outre, elle était soutenue par l'une des idées qui tenait le plus à son cœur, celle de la qualité de la vieille tradition poétique dont il fallait garder le souvenir vivant, mais cette qualité apparaissait grâce aux talents des hommes. Pasquier leur

17. *Jean Plattard*, La Renaissance des lettres en France, *Paris, A. Colin, 1967, p. 159.*

garde toute leur place car, reprenant un vieil adage, il aimait à rappeler que[18] « l'orateur se faisait et le poète naissait : comme y ayant en l'un plus de l'art que du naturel, en l'autre plus de naturel que de l'art » et lui, qui était avocat, il estimait la tâche du poète bien plus difficile que celle de l'avocat parce que : « Notre poète n'acquiert réputation que par sa plume, qui n'est passagère comme la voix, et qu'écrivant, chacun se donne puissance de juger de ses œuvres tout à loisir. » C'est pourquoi l'ayant lu et même recopié, l'avocat Pasquier gardait toute son admiration au poète Thibaut.

Colette Demaizière

18. *Pasquier reprend cet adage à son compte dans une lettre à messire Jean Nicolaï, conseiller d'Etat et premier président à la Chambre des comptes de Paris ; cf. Œuvres d'Etienne Pasquier, éd. Feugère, Paris, Firmin-Didot, 1849, II, p. 411 et suivantes.*
Dans la note 6 (p. 411) de cette édition, Feugère ajoute le commentaire suivant : « On connaît cet adage, que l'on trouve dans le De oratore *de Cicéron :* nascuntur pœtae, fiunt oratores. Voy. *Thesaurus Ciceronis, Parisiis, 1556, p. 1 021. »*

Annexes

Fiefs tenus de la couronne et domaine royal
vers 1259

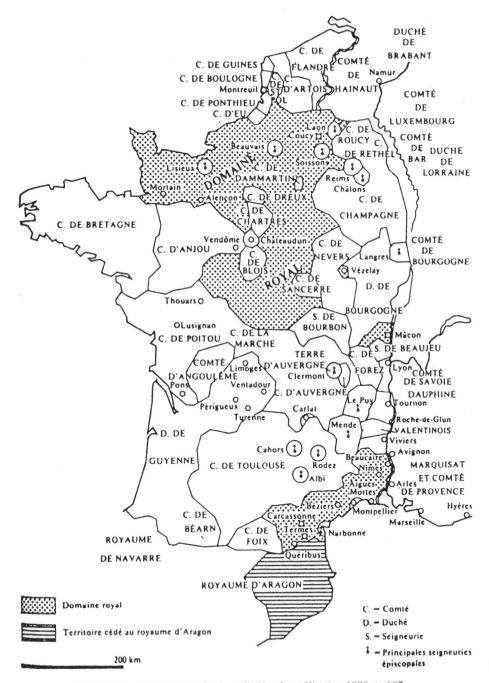

Domaine royal

Territoire cédé au royaume d'Aragon

200 km

C. — Comté

D. — Duché

S. — Seigneurie

✝ — Principales seigneuries
épiscopales

Tirée de Jean Richard, Saint Louis, *coll. Marabout-Histoire, 1986, p. 607.*

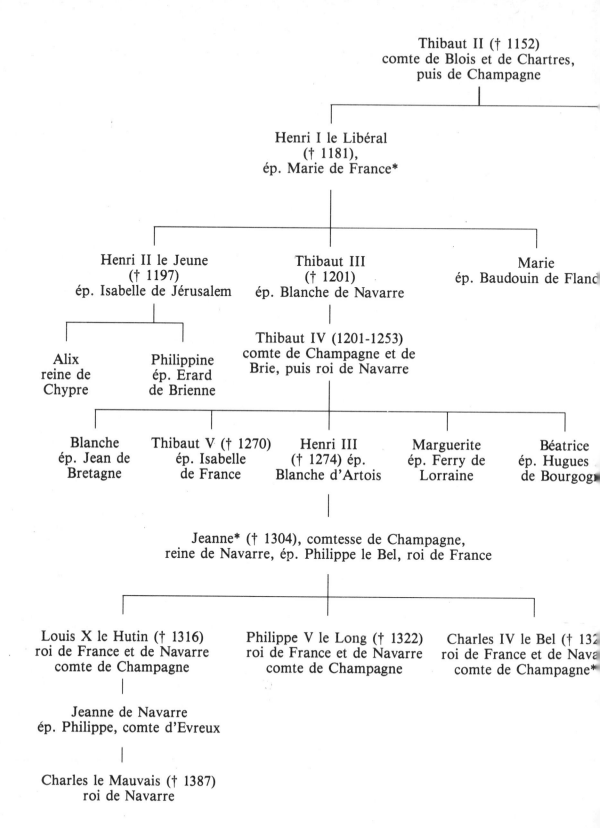

Thibaut II († 1152)
comte de Blois et de Chartres,
puis de Champagne

Henri I le Libéral
(† 1181),
ép. Marie de France*

Henri II le Jeune
(† 1197)
ép. Isabelle de Jérusalem

Thibaut III
(† 1201)
ép. Blanche de Navarre

Marie
ép. Baudouin de Fland

Alix
reine de
Chypre

Philippine
ép. Erard
de Brienne

Thibaut IV (1201-1253)
comte de Champagne et de
Brie, puis roi de Navarre

Blanche
ép. Jean de
Bretagne

Thibaut V († 1270)
ép. Isabelle
de France

Henri III
(† 1274) ép.
Blanche d'Artois

Marguerite
ép. Ferry de
Lorraine

Béatrice
ép. Hugues
de Bourgog

Jeanne* († 1304), comtesse de Champagne,
reine de Navarre, ép. Philippe le Bel, roi de France

Louis X le Hutin († 1316)
roi de France et de Navarre
comte de Champagne

Philippe V le Long († 1322)
roi de France et de Navarre
comte de Champagne

Charles IV le Bel († 132
roi de France et de Nava
comte de Champagne*

Jeanne de Navarre
ép. Philippe, comte d'Evreux

Charles le Mauvais († 1387)
roi de Navarre

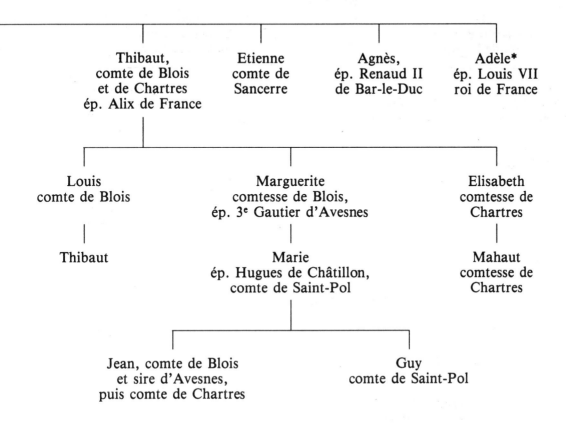

LES THIBAUDIENS

* Les noms de ces personnages figurent dans la généalogie d'Aliénor d'Aquitaine ou dans celle des Capétiens, page suivante.
** Le roi Philippe VI de Valois, neveu de Philippe le Bel, successeur de son cousin Charles IV sur le trône de France, hérite du comté de Champagne. Celui-ci sera rattaché au domaine royal en 1361.

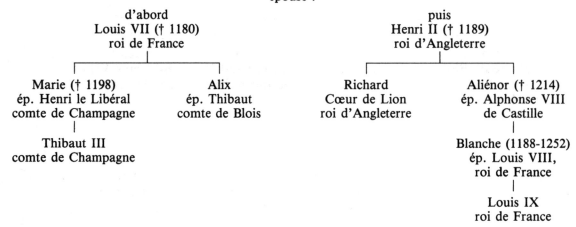

Aliénor d'Aquitaine
(1123-1204)
épouse :

d'abord
Louis VII († 1180)
roi de France

puis
Henri II († 1189)
roi d'Angleterre

Marie († 1198)
ép. Henri le Libéral
comte de Champagne

Alix
ép. Thibaut
comte de Blois

Richard
Cœur de Lion
roi d'Angleterre

Aliénor († 1214)
ép. Alphonse VIII
de Castille

Thibaut III
comte de Champagne

Blanche (1188-1252)
ép. Louis VIII,
roi de France

Louis IX
roi de France

Les Capétiens

Robert le Pieux († 1033)

Henri II († 1060),
ép. Anne de Kiev

Philippe Ier († 1108)
ép. Berthe de Hollande

Louis VI († 1137)

Louis VII (1120-1180)
ép. Aliénor d'Aquitaine   puis   Adèle de Champagne*

Philippe Auguste († 1223)

Louis VIII († 1226)
ép. Blanche de Castille

Louis IX (1215-1270)

Philippe le Hardi († 1285)

Philippe le Bel († 1314)
ép. Jeanne de Navarre*

* Les noms de ces personnages figurent dans la généalogie des Thibaudiens.

Chronologie

1199 : Thibaut III de Champagne épouse Blanche de Navarre, fille de Sanche VI, roi de Navarre.
Tournoi à Evry-en-Champagne. Thibaut III, comte de Champagne se croise.

1200 : *23 mai. — Mariage de Blanche de Castille avec Louis, prince et héritier de France.*

1201 : 30 mai. — Naissance de Thibaut IV de Champagne, fils posthume de Thibaut III.

1202 : *Début de la IVe croisade.*

1204 : *Prise et pillage de Constantinople par les croisés.*

1209 : *Début de la croisade contre les Albigeois.*

1214 : *25 avril. — Naissance de Louis, futur Louis IX (saint Louis).*
27 juillet. — *Victoire de Philippe Auguste à Bouvines.* Thibaut IV est présent à cette bataille.
Thibaut IV de Champagne règne sous la tutelle de sa mère Blanche de Navarre.

1218 : *Ve croisade.*

1220 : Thibaut IV épouse Gertrude, fille du comte de Metz.

1221 : Erard de Béthune prétend au comté de Champagne. Un accord stipule que Thibaut garde les comtés de Champagne et de Brie.

1222 : Gertrude est répudiée pour cause de stérilité.

1223 : *Avènement de Louis VIII.*
Thibaut épouse Agnès de Beaujeu, cousine germaine du roi de France Louis VIII.

1224 : Thibaut participe aux campagnes de Louis VIII contre les Anglais et en particulier au siège de La Rochelle.

1226 : Thibaut de Champagne accompagne le roi au siège d'Avignon, puis l'abandonne.
8 novembre. — Mort de Louis VIII. Thibaut est accusé de l'avoir empoisonné.
29 novembre. — Sacre de Louis IX à Reims.

1227 : Thibaut prend le parti des grands feudataires du royaume contre Blanche de Castille.

1228 : *Début de la VIe croisade.*
Débarquement des Anglais en Normandie. Thibaut vient au secours de la reine.

1229 : Thibaut médiateur entre la monarchie et Raymond VII de Toulouse.

1230 : Juin. — Le comté de Champagne est envahi par des seigneurs commandés par Philippe Hurepel.

1231 : Mort d'Agnès, seconde femme de Thibaut IV.

1232 : Thibaut IV épouse Marguerite, fille d'Archambaut, seigneur de Bourbon.

1233 : Une cousine de Thibaut IV, Alix reine de Chypre, prétend avoir des droits sur le comté de Champagne.

1234 : *27 mai. — Mariage de Louis IX avec Marguerite de Provence.*
Thibaut devient roi de Navarre à la mort de son oncle maternel, Sanche le Fort.

1235 : *Début du règne personnel de Louis IX.* Naissance de Thibaut V de Champagne.
Nouvelle rébellion des barons de France contre la couronne et la régente. Thibaut se joint à eux.

1236 : *Dédicace de l'abbaye de Royaumont.*
Soumission définitive du comte de Champagne à la couronne de France.

1239 : Thibaut IV de Champagne quitte Marseille pour partir en Terre sainte et débarque à Saint-Jean-d'Acre.
Désastre de Gaza. Thibaut arrive après la bataille.

1240 : *Echec de la croisade et* retour de Thibaut en France.

1242 : *Débarquement de Henri III d'Angleterre à Royan.*
21-22 juillet. — Thibaut de Champagne participe, aux côtés de Louis IX, aux batailles de Taillebourg et de Saintes contre les Anglais.

1244 : *Les chrétiens perdent définitivement Jérusalem. Maladie du roi qui prend l'engagement de se croiser.*

1248 : *26 avril. — Consécration de la Sainte-Chapelle, à Paris.*
12 juin. — Départ de Louis IX pour la VIIe croisade en direction de l'Egypte.

Pèlerinage de pénitence de Thibaut de Champagne à Rome.

1249 : *5-6 juin. — Débarquement des croisés et prise de Damiette.*

1250 : *6 avril. — Défaite de Mansourah. Le roi est prisonnier des sarrasins.*
6 mai. — Reddition de Damiette et libération de Louis IX.

1253 : Thibaut IV meurt à Pampelune.

1254 : *Retour de Louis IX en France.*

1270 : *15 mars. — Départ de Paris pour la VIIIe croisade.*
25 août. — Mort de Louis IX devant Tunis.

Thibaut de Champagne
et Blanche de Castille

La légende de Thibaut IV de Champagne amoureux de Blanche de Castille n'est pas née récemment, comme en témoigne ce passage des Grandes Chroniques de France *(XIIIᵉ-XIVᵉ siècles).*

Du conte de Champaigne

Assez tost après que le roy[1] ot[2] espousé fame, le conte de Champaigne commença à contrarier le roy et à enforcier ses villes et ses chastiaus, et à faire garnisons[3]. Nouvelles en vindrent au roy à Paris où il estoit que le conte vouloit entrer en France par force d'armes. Si manda le conte de Poitiers son frere et Robert d'Artois, et prindrent conseil ensamble qu'il manderoient leur genz ; et ainsi le firent, et puis se mistrent au chemin droit vers Champaigne pour abatre la fierté du conte. Le conte Thibaut sot[4] que le roy venoit contre lui a grant compaignie de gent ; si se douta[5] que le roy ne li tolist[6] sa terre ; si envoia au roy des plus sages homes de son conseil pour requerre pais et amour. Et pour ce que li roys avoit fait despens à sa gent assambler, le conte li donnoit II bonnes villes avoeques les apartenances ; c'est asavoir Monstereul en for d'Yonne[7] et Bray sur Saine[8]. Le roy, qui touz jorz fu piteus[9], li otroia pais et acordance. A celle pais faire fu la royne Blanche qui dist : « Par Dieu, conte Thibaut, vous ne deussiez pas estre nostre contraire. Il vous deust bien remembrer de la bonté que le roy mon filz vous fist, qui vint en vostre aide pour secorre vostre contrée et vostre terre contre touz les barons de France qui la vouloient toute ardoir[10] et mettre en charbon. » Le conte regarda la royne qui tant estoit sage, et tant belle, que de la grant biauté de lui il fu tous esbahiz. Si li respondi : « Par ma foi, madame, mon cuer et mon cors, et toute ma terre est en vostre commandement, ne n'est rienz qui vous poist[11] plaire que je ne feisse volentiers, ne jamais, se Dieu plaist, contre vous ne contre les vos je n'iré. »

D'iluec[12] se parti touz penssis, et li venoit souvent en remembrance du douz regart la royne et de sa belle conte-

1. Le roy : *Louis IX.*
2. Ot : *eut.*
3. *En 1235 et 1236.*
4. Sot : *sut.*
5. Se douta : *redouta.*
6. Tolist : *enlevât, ravît.*
7. *Montereau-faut-Yonne (Montereau), en Seine-et-Marne.*
8. *Bray-sur-Seine, en Seine-et-Marne.*
9. Piteux : *pitoyable.*
10. Ardoir : *brûler.*
11. Poist : *pût.*
12. D'iluec : *de là.*

nance. Lors si entroit son cueur en une penssée douce et amoureuse. Mais quant il li souvenoit qu'elle estoit si haute dame, de si bonne vie et de si nete qu'il n'en porroit ja joir, si muoit sa douce penssée amoureuse en grant tristece. Et por ce que parfondes penssées engendrent melancolie, li fu il loé[13] d'aucuns sages homes qu'il se estudiast en biaus sons de viele et en douz chanz delitables. Si fist entre lui et Gace Brulé[14] les plus belles chançons et les plus delitables et melodieuses qui onques feussent oïes en chançon ne en viele. Et les fist escrire en sa sale[15] à Prouvins, et en cele de Troies, et sont apelées *les chançons au roy de Navarre*, quar le reaume de Navarre li eschai[16] de par son frere qui morut sans hoir[17] de son cors[18].

(Extrait des *Grandes Chroniques de France*, publiées par Jules Viard, *Société de l'Histoire de France*, t. VII, Paris, Champion, 1932, pp. 65-68.)

13. Fu il loé : *il lui fut conseillé.*
14. Fist entre lui et Gace Brulé : *Avec Gace Brulé, il fit... — Gace Brulé : trouvère champenois de la fin du XIIe siècle et du début du XIIIe siècle, qui a écrit des poèmes pour Marie de France, comtesse de Champagne.*
15. Sa sale : *la grande salle de son château.*
16. Eschai : *échut.*
17. Hoir : *héritier.*
18. *Thibaut devint roi de Navarre en 1234 à la mort de Sanche VII le Fort, frère de Blanche de Navarre : son oncle donc, et non son frère.*

Deux poèmes de

Pastourelle[1]

I

J'aloie l'autrier errant
        Sanz compaignon
Seur mon palefroi, pensant
        A fere une chançon,
Quant j'oï, ne sai conment,
        Lez un buisson
La voiz du plus bel enfant
        C'onques veïst nus hom ;
Et n'estoit pas enfes si
N'eüst quinze anz et demi,
N'onques nule riens ne vi
        De si gente façon.

II

Vers li m'en vois maintenant,
        Mis l'a reson :
« Bele, dites moi conment,
        Pour Dieu, vous avez non ! »
Et ele saut maintenant
        A son baston :
« Se vous venez plus avant
        Ja avroiz la tençon.
Sire, fuiez vous de ci !
N'ai cure de tel ami,
Que l'ai mult plus biau choisi,
        Qu'en claime Robeçon. »

III

Quant je la vi esfreer
        Si durement
Qu'el ne me daigne esgarder
        Ne fere autre semblant,
Lors commençai a penser
        Confaitement

1. Les Chansons de Thibaut de Champagne roi de Navarre *(d'après l'éd. A. Wallensköld, Champion, Paris, 1925, Chanson LI, pp. 176-179).*

Thibaud de Champagne

I

Je me promenais l'autre jour,
    Sans compagnon,
Sur mon cheval, occupé
A composer une chanson,
Quand j'entendis, je ne sais comment,
    Près d'un buisson,
La voix de la plus belle enfant
Que jamais on pût rencontrer.
Mais elle n'était pas si enfant
Car elle avait quinze ans et demi ;
    Jamais je ne vis
Une si aimable personne.

II

Je m'en vais vers elle sur-le-champ
    Et je lui adresse la parole :
« Belle, dites-moi comment,
Par Dieu, vous appelle-t-on ? »
Mais elle saute aussitôt
    Sur son bâton :
« Si vous avancez encore,
Vous recevrez des coups !
Seigneur, éloignez-vous d'ici.
Je n'ai rien à faire d'un ami tel que vous,
Car j'en ai choisi un bien plus beau
Qu'on appelle Robichon. »

III

Quand je vois qu'elle s'alarme
    A ce point,
Et qu'elle ne veut pas me regarder
Ni me faire un autre accueil,
Alors je commence à me demander
    Par quel moyen

Ele me porroit amer
    Et changier son talent.
A terre lez li m'assis.
Quant plus regart son cler vis,
Tant est plus mes cuers espris,
    Qui double mon talent.

IV

Lors li pris a demander
    Mult belement
Que me daignast esgarder
    Et fere autre semblant.
Ele conmence a plorer
    Et dist itant :
« Je ne vos puis escouter ;
    Ne sai qu'alez querant. »
Vers li me trais, si li dis :
« Ma belle, pour Dieu merci ! »
Ele rist, si respondi :
    « Ne faites pour la gent ! »

V

Devant moi lors la montai
    De maintenant
Et trestout droit m'en alai
    Vers un bois verdoiant.
Aval les prez regardai,
    S'oï criant
Deus pastors par mi un blé,
    Qui venoient huiant,
Et leverent un grant cri.
Assez fis plus que ne di :
Je la les, si m'en foï,
    N'oi cure de tel gent.

Elle pourrait m'aimer
Et changer d'attitude.
Je m'assieds à terre près d'elle.
Plus je contemple la clarté de son visage,
Plus mon cœur est enflammé
Et mon désir redouble.

IV

Alors je commençai à lui demander
      Bien gentiment
Qu'elle daignât me regarder
Et me montrer un autre visage.
Elle se mit à pleurer
      Et dit :
« Je ne puis vous écouter.
Je ne sais ce que vous voulez. »
Je m'approche d'elle en lui disant :
« Ma belle, pitié, au nom de Dieu ! »
Elle rit et répondit :
« Ne faites rien ! Il y a du monde ! »

V

Devant moi alors je la pris sur ma monture,
      Tout aussitôt,
Et tout droit je m'en allai
Vers un bosquet verdoyant.
Je tournai les yeux vers les prés
      En entendant crier
Deux bergers dans un champ de blé
Qui arrivaient en poussant des clameurs
Et en faisant un bien grand bruit !
Je fis bien plus que je ne le raconte ici :
Je la laisse et m'enfuis,
Je n'ai rien à faire de tels gens !

Traduction : Danielle Quéruel.

Chanson d'amour[1]

I

Je me cuidoie partir
D'Amors, mes riens ne me vaut.
Li douz maus du souvenir,
Qui nuit et jor ne m'i faut,
Le jor m'i fet maint assaut,
Et la nuit ne puis dormir,
Ainz plain et pleur et souspir.
Deus ! tant art quant la remir,
Mes bien sai qu'il ne l'en chaut.

II

Nus ne doit Amors traïr
Fors que garçon et ribaut ;
Et, se n'est par son plesir,
Je n'i voi ne bas ne haut ;
Ainz vueil qu'ele me truist baut
Sanz guiler et sanz mentir ;
Mes se je puis consivir
Le cerf, qui tant puet fouir,
Nus n'est joianz a Thiebaut.

III

Li cers est aventureus
Et si est blans conme nois
Et si a les crins andeus
Plus sors que or espanois.
Li cers est en un défois
A l'entrer mult perilleus
Et si est gardez de leus :
Ce sont felon envïeus
Qui trop grievent aus cortois.

IV

Ainz chevaliers angoisseus
Qui a perdu son hernois,
Ne vile que art li feus
Mesons, vignes, blez et pois,

1. Les Chansons de Thibaut de Champagne roi de Navarre *(d'après l'éd. A. Wallensköld, Champion, Paris, 1925, Chanson XVII, pp. 54-57).*

144

I

Je pensais m'éloigner de l'Amour,
Mais je ne le peux.
L'amère douceur du souvenir
Qui jour et nuit ne me quitte
M'assaille le jour
Et m'empêche de dormir la nuit :
Je gémis, je pleure et je soupire.
Dieu ! je brûle tant d'Amour quand je la regarde !
Mais je sais bien qu'elle s'en moque.

II

Nul ne doit trahir l'Amour
Sauf les valets et les brigands ;
Et, si ce n'est pour faire sa volonté,
Je n'y trouve aucun profit ;
Mais je souhaite qu'elle voie mon bonheur,
Sans ruse et sans mensonge ;
Car, si je dois poursuivre à la course
Le cerf qui peut s'enfuir si loin,
Personne n'est plus heureux que Thibaut.

III

Le cerf cherche l'aventure :
Il est blanc comme neige
Et ses deux tresses sont
Plus dorées que l'or d'Espagne.
Le cerf est dans un enclos
Dont l'entrée est périlleuse
Et qui est gardée par des loups :
Ce sont les jaloux et les traîtres
Qui accablent les amants courtois.

IV

Ni le chevalier désespéré
Qui a perdu ses armes et sa monture,
Ni le village que le feu consume,   les chaumes
Ni les maisons, ni les vignes, ni les champs de blé, ni

Ne chacierres qui prent sois,
Ne leus qui est fameilleus
N'est avers moi dolereus,
Que je ne soie de ceus
Qui aiment deseur leur pois.

V

Dame, une riens vous demant :
Cuidiez vous que soit pechiez
D'ocirre son vrai amant ?
Oïl, voir ! bien le sachiez !
S'il vos plest, si m'ocïez,
Que je le vueil et creant,
Et se melz m'amez vivant,
Je le vos di en oiant,
Mult en seroie plus liez.

VI

Dame, ou nule ne se prent,
Mes que vos vueilliez itant
C'un pou i vaille pitiez !

VII

Renaut, Phelippe, Lorent,
Mult sont or li mot sanglent
Dont couvient que vos rïez.

Ni le chasseur assoiffé,
Ni le loup affamé
Ne sont affligés en comparaison de moi,
Car je crains d'être parmi ceux
Qui aiment malgré eux.

V

Dame, je vous demande une seule chose :
Pensez-vous que ce soit un péché
Que de donner la mort à son ami fidèle ?
Oui, en vérité ! Vous le savez bien !
Si c'est votre volonté, tuez-moi,
Car je le souhaite et j'y consens ;
Et si vous m'aimez mieux vivant,
Je vous le dis devant tout le monde,
J'en serai bien plus heureux.

VI

Dame, à qui nulle autre ne peut être comparée,
Je vous en supplie,
Accordez-moi quelque pitié !

VII

Renaut, Philippe, Laurent,
Ils sont ensanglantés
Les vers qui doivent vous faire sourire.

Traduction Danielle Quéruel.

Glossaire

BESTIAIRE : traité en prose ou en vers présentant la description de certains animaux, réels ou légendaires. Une interprétation symbolique en est proposée en vue d'un enseignement religieux et moral.

CHAITIS : captif, prisonnier, malheureux (cf. fr. mod. : chétif).

CHANSON : pièce lyrique qui, au Moyen Age, était accompagnée d'une mélodie composée pour elle et dont tous les couplets, au nombre de cinq ou six, étaient de nature identique. En langue d'oc, c'est la *canso*, et jusqu'à la fin du XIIe siècle, on désigne aussi ce type de pièce lyrique du nom de *vers*. Elle se termine le plus souvent par un couplet plus court (*tornada*) qui contient l'*envoi*. Les poètes, en associant les paroles et la musique, ont pu y exprimer tous les sentiments, mais ils y ont le plus souvent chanté l'amour. C'est au XIIe et au XIIIe siècle, dans le sud, puis dans le nord de la France, que cette production poétique a atteint son plus haut point de perfection.

CHANSON D'AMOUR : pièce lyrique qui traite d'amour et célèbre le culte de la dame selon le code courtois.

CHANSON DE CROISADE : pièce lyrique inspirée par les croisades qui peut prendre la forme d'une exhortation au départ, d'une complainte du croisé qui quitte sa dame ou encore de discussions sur la croisade.

GRANT CHANT : chanson d'amour courtoise composée sur le modèle des *cansos* occitanes et leur empruntant leur vocabulaire, leur rhétorique et leurs thèmes. Elle a été cultivée par les trouvères.

CHANSONNIER : recueil rassemblant les poèmes des troubadours et des trouvères (XIIe-XIIIe siècles). Semblable à une anthologie moderne, ce type de répertoire conserve les textes et les mélodies. Les chansonniers n'apparaissent guère avant les XIIIe-XIVe siècles.

CONTRALIES : contradictions, résistances, refus.

DEBAT : (*tenson* en occitan) pièce lyrique reproduisant une discussion entre deux ou plusieurs poètes qui soutiennent des opinions différentes sur une même question. L'échange dialogué se fait de couplet à couplet, ou parfois d'un poème à l'autre. Le *debat* peut porter sur tous les sujets (religieux, politiques, littéraires, etc.), mais concerne le plus souvent l'amour et la casuistique amoureuse.

DEDUIT : plaisir, divertissement, joie, en particulier plaisir amoureux.

DELIT : plaisir, jouissance.

DEPARTIE : séparation, en particulier séparation des amants.

DESVEZ : fou, égaré, qui perd l'esprit et la raison.

ESTOUVOIR : convenir, falloir, être nécessaire.

FIN'AMOR : ce terme désigne une conception élevée et idéalisée de l'amour courtois qui apparaît d'une part dans la poésie lyrique d'oc, puis d'oïl, d'autre part dans le roman à partir du XIIe siècle. La *Fin'Amor* est étroitement liée à un ensemble de valeurs (la loyauté, la mesure, l'exaltation amoureuse, le secret, etc.) qui définissent la courtoisie.

JEU-PARTI : (*joc-partit* ou *partimen* en occitan, de l'expression *partir un joc* : proposer une question) débat où le questionneur propose lui-même à son interlocuteur le choix entre deux hypothèses et qui se termine par un jugement donné par un arbitre. Thibaut de Champagne et Jean Bretel en particulier en ont composé.

LAI : court récit.

LOSANGIER, LOSENGIER : flatteur, médisant, jaloux.

MAISSELLE : nom féminin désignant en ancien français la mâchoire, la joue et le menton. L'expression *la main a la maisselle* décrit une attitude de méditation, de réflexion, parfois de douleur, de la part des personnages représentés dans la littérature, les miniatures des manuscrits et les sculptures.

MAUTALENT : ressentiment.

PARAGE : noble naissance, parenté.

PASTOURELLE : chanson dialoguée dans laquelle un chevalier tente de séduire, avec plus ou moins de succès, une bergère qu'il rencontre dans la campagne ou dans la forêt. Cette composition à la fois lyrique et narrative insiste en général sur trois moments : la rencontre, le débat et la plainte ou la joie amoureuse. On a conservé environ cent soixante pastourelles en français, toutes du XIIIe siècle, et vingt-cinq en occitan du XIIe et du XIIIe siècle.

RAZO : notice servant à éclaircir les circonstances de la composition d'un poème, présentée dans les chansonniers avant la pièce lyrique elle-même.

REVERDIE : ce terme signifie « feuillée, verdure », puis « joie, allégresse ». Il peut désigner une pièce lyrique célébrant la verdure, le printemps et la joie qui accompagne le retour de la belle saison. Il suggère un décor printanier propice à une aventure amoureuse.

RECREANTISE : lâcheté, paresse, refus de la prouesse et des valeurs chevaleresques.

SENHAL : terme occitan. C'est le surnom par lequel la dame est désignée à la fin des chansons. Ce procédé permet au poète de garder le secret sur l'identité de la dame qu'il aime et qu'il chante conformément au code courtois.

SONET : voir p. 123.

TENSON : voir *Debat*.

TROUBADOUR, TROUVERE : nom désignant le poète lyrique au Moyen Age, en particulier au XIIe et au XIIIe siècle, en occitan (du verbe *trobar* : inventer) et en français (du verbe *trouver* : inventer).

VIDA : terme occitan qui désigne une notice biographique présentant un troubadour dans les chansonniers provençaux.

Index des noms de personnes

Adam de la Halle, *89, 90.*
Aliénor d'Aquitaine, *26, 29.*
Alix de Chypre, *32.*
André le Chapelain, *29, 96.*
Anjou (Charles, comte d'), *89, 123.*
Appert (abbé), *28.*
Arbois de Jubainville (H. d'), *27.*
Arnaut de Mareuil, *48.*
Aubois de Sézanne, *30.*
Auguste, *122.*
Augustin (saint), *26.*
Avalle, *54.*
Avril (F.), *65.*
Baumgartner (E.), *35-44, 45, 55, 77, 99, 104, 118.*
Bec (P.), *77, 89.*
Bédier (J.), *54.*
Belleau (R.), *123.*
Bembo (P.), *123.*
Benton (J.), *26.*
Bernard (saint), *86.*
Bernard de Ventadour, *voir Ventadour.*
Bernard Marti, *103.*
Bianciotto (G.), *46.*
Blanche d'Artois, *27.*
Blanche de Castille, *11, 14, 25, 26, 27, 30-33, 116, 120, 125.*
Blanche de Navarre, *27.*
Blanchot (M.), *106.*
Blondel de Nesles, *38, 40, 45, 54, 57, 58, 61, 63, 64.*
Blondel de Reims, *30.*
Bloy (L.), *80.*
Brabant (duc de), *89.*
Brandin (L.), *89.*
Bretel (Jehan), *89.*
Brunctto Latini, *46.*
Bur (M.), *25-28.*
Burgess (C.S.), *26.*
Cabrol (dom F.), *52.*
Canivet (P.), *82.*
Céline, *79.*

Char (R.), *101.*
Charles d'Orléans, *118, 124.*
Chartier (Alain), *119.*
Chrétien de Troyes, *26, 29, 30, 47, 51, 112.*
Cicéron, *126.*
Clément de Rome, *52.*
Colin Muset, *54.*
Commodien, *52.*
Cormier (R.), *116, 117.*
Cornelius Valerianus, *52.*
Coucy (châtelain de), *38, 45, 54, 77, 122, 124.*
Dante, *25, 35, 44, 59.*
Darembert et Saglio, , *66.*
Dauzat (A.), *124.*
Del Monte (A.), *54.*
Demaizière (C.), *119-127.*
Dolly (M.), *116, 117.*
Dragonetti (R.), *101, 102, 105, 112, 118.*
Du Bellay (J.), *119, 123, 124, 126.*
Dubois (J.), *124.*
Dyggve (H.P.), *107.*
Ernout et Meillet, *104.*
Fauchet (C.), *122, 124.*
Ferrand (F.), *77-87, 99, 104, 118.*
Feugère (L.), *124, 127.*
Flaubert (G.), *104.*
Frappier (J.), *45, 69, 70, 71, 97, 112, 118.*
Gace Brulé, *11, 26, 30, 35, 38, 40, 41, 45, 65, 107-118, 122, 124.*
Gaiffe (F.), *124.*
Gally (M.), *89-97.*
Gaucebert (ou Jausbert) de Puycibot, *27.*
Gautier d'Arras, *26.*
Gautier de Coincy, *78, 105.*
Gautier de Dargies, *38.*
Gerson, *28.*
Geschwindt (V.), *48.*
Gilbert de Berneville, *40.*
Girard d'Amiens, *96.*
Godefroy (F.), *101.*
Godefroy de Lagny, *29.*
Grevisse (M.), *105.*

Grossel (M.-G.), *107-118*.
Guégan (B.), *106*.
Guillaume IX d'Aquitaine, *104*.
Guillaume de Lorris, *43, 44, 48, 49, 50, 68, 119, 124*.
Guillaume de Machaut, *24, 65*.
Guillaume de Saint-Thierry, *86*.
Guillaume de Villehardouin, *38*.
Guillaume Le Clerc, *46*.
Guillaume Le Vinier, *38, 54, 89, 95*.
Henri II, *121*.
Henri le Libéral, *26, 29*.
Hérodote, *52*.
Hoepffner (E.), *103*.
Horace, *102*.
Hugues de Lusignan (comte de la Marche), *31*.
Huet, *122*
Huizinga (J.), *97*.
Isidore de Séville, *52, 101*.
Jaufré Rudel, *54, 104*.
Jean de Condé, *54*.
Jean de Meun, *voir Meun*.
Jeanroy (A.), *54, 89*.
Jean sans Terre, *33*.
Jodelle, *123*.
Joinville, *16*.
Joris (P.-M.), *99-106*.
Kippenberg (B.), *57*.
Koechlin (R.), *67*.
Kohlhaussen (H.), *67*.
Kristeva (J.), *85*.
Lamartine, *118*.
Långfors (A.), *89*.
Lavis (G.), *114*.
Lazar (M.), *48*.
Leclercq (dom H.), *52*.
Lecoy (F.), *44, 48, 68*.
Lejeune (R.), *27*.
Lerond (A.), *54*.
Lévêque de Ravalière, *25, 122, 125*.
Lewis (C.S.), *69*.
Lindsay (W.M.), *101*.
Littré, *124*.
Longus, *66*.
Louis VII, *26*.
Louis VIII, *11, 30, 31, 32, 33*.
Louis IX (saint Louis), *15, 16, 120, 123, 125*.
Lutz (C.E.), *106*.
Macrobe, *26*.
Maillard (J.), *90*.

Malherbe, *101*.
Manilius, *52*.
Marcabru, *104*.
Maréchal de Champagne (Villehardouin), *38*.
Marie de Champagne, *11, 26, 27, 29*.
Marie de France, *54*.
Martial, *53*.
Mauclerc (Pierre, comte de Bretagne), *31, 123*.
Maurice de Sully, *82*.
Meier (H.), *67*.
Méla (C.), *100, 102*.
Ménard (P.), *38, 54, 65-75, 101*.
Meneghetti (M.L.), *44*.
Meun (Jean de), *48, 119*.
Mitterrand (H.), *124*.
Monfrin (J.), *12, 101*.
Moore (M.), *124, 125*.
Moussy (A.), *28*.
Nelli (R.), *93*.
Nicolaï (J.), *127*.
Ovide, *47, 48, 53, 73*.
Panovsky (E.), *66, 69*.
Pasquier (E.), *119-127*.
Pauly-Wisowa, *66*.
Peire d'Alvernhe, *54*.
Peire Vidal, *54*.
Pétrarque, *123, 124*.
Pézard (A.), *35, 44*.
Philippe Auguste, *33*.
Philippe de Nanteuil, *50, 70, 95*.
Philippe Hurepel, *32*.
Picoche (J.), *124*.
Pierequin de la Coupelle, *38*.
Pierre de Beauvais, *46*.
Pierre Mauclerc, *voir Mauclerc*.
Platon, *66*.
Plattard (J.), *126*.
Pline, *52, 53, 54, 55*.
Ponge (F.), *101*.
Properce, *66*.
Pupil (F.), *25*.
Quinte-Curce, *26*.
Quintilien, *101*.
Räkel (H.-H.), *12, 57-64*.
Ramus, *125*.
Ranawake (S.), *64*.
Raoul de Soissons, *47, 95, 96, 122, 123*.
Raymond VII de Toulouse, *32*.
Raynaud (G.), *58*.
Rémi d'Auxerre, *106*.

Reto et Casquero, *52.*
Ribard (J.), *54.*
Richard de Cornouailles, *31.*
Richard de Fournival, *89.*
Rigaut de Barbezieux, *27, 51.*
Rigolot (F.), *124.*
Roach (W.), *102.*
Robert de Blois, *101.*
Roland de Reims, *89.*
Ronsard, *119, 120, 121, 123, 125.*
Ruhe (D.), *67.*
Rychner (J.), *54.*
Saint-Denis (E. de), *55.*
Savary de Mauléon, *27.*
Saxl (F.), *67.*
Scève (M.), *106, 118.*
Schmitt (O.), *66.*
Schneider (J.), *27.*
Sébillet ou Sibilet (T.), *123, 124.*
Sénèque, *68.*
Shepard (W.P.), *27.*
Spanke (H.), *58.*
Spitzer (L.), *104.*
Stace, *53.*
Stirnemann (P.), *26.*

Tacite, *53.*
Taittinger (C.), *11, 12, 26, 29-34.*
Tertullien, *52.*
Tervarent (G. de), *66.*
Thiart (Pontus de), *123.*
Thibaut de Champagne, *passim.*
Thickett (D.), *119.*
Thierry de Soissons, *122.*
Tobler (A.), Lommatzsch (E.), *101.*
Toury (M.-N.), *45-55.*
Valère Maxime, *26.*
Van der Werf (H.), *57, 58.*
Ventadour (Bernard de), *47, 48, 54, 77.*
Villehardouin, *voir Maréchal de Champagne.*
Villeneuve (F.), *102.*
Villon (F.), *119.*
Virgile, *66.*
Wallensköld (A.), *passim.*
Watteau, *25.*
Wechssler (E.), *67.*
Wickhoff (F.), *67.*
Wiese (L.), *54.*
Zink (M.), *82.*
Zumthor (P.), *90, 91.*

Composition, montage
photogravure
TexTel, 69005 Lyon

Achevé d'imprimer
sur les presses de l'A.T.L.
à Villeurbanne
en janvier 1987

Dépôt légal :
1er trimestre 1987